D1275874

Plaisirs d'été

le guide du parfait braiseur

Plaisirs d'été

le guide du parfait braiseur

Textes et direction artistique
Céline Tremblay

Photographies
Christian Lacroix

Stylisme et coordination
Lise Carrière

Recettes
Louise et Michel Beaulne

Révision
Catherine Saguès

Données de catalogage avant publication (Canada)

Tremblay, Céline.

Plaisirs d'été: le guide du parfait braiseur

Comprend un index.

1. Cuisine. 2. Cuisine en plein air. 3. Cuisine au barbecue.
I. Lacroix, Christian. II. Carrière, Lise. III. Titre.

TX823.T74 1995 641.5'64 C95-940427-9

DISTRIBUTEURS EXCLUSIFS:

- Pour le Canada et les États-Unis:
  LES MESSAGERIES ADP*
  955, rue Amherst, Montréal H2L 3K4
  Tél.: (514) 523-1182
  Télécopieur: (514) 939-0406
  * Filiale de Sogides ltée

- Pour la Belgique et le Luxembourg:
  PRESSES DE BELGIQUE S.A.
  Boulevard de l'Europe, 117, B-1301 Wavre
  Tél.: (10) 41-59-66
  (10) 41-78-50
  Télécopieur: (10) 41-20-24

- Pour la Suisse:
  TRANSAT S.A.
  Route des Jeunes, 4 Ter, C.P. 125, 1211 Genève 26
  Tél.: (41-22) 342-77-40
  Télécopieur: (41-22) 343-46-46

- Pour la France et les autres pays:
  INTER FORUM
  Immeuble Paryseine, 3 Allée de la Seine, 94854 Ivry Cedex
  Tél.: (1) 49-59-11-89/91
  Télécopieur: (1) 49-59-11-96
  Commandes: Tél.: (16) 38-32-71-00
  Télécopieur: (16) 38-32-71-28

Dépôt légal: 2e trimestre 1995
Bibliothèque nationale du Québec

ISBN 2-7619-1229-2

Ce livre a été produit grâce au système d'imagerie au laser des Éditions de l'Homme, lequel comprend:

- Un digitaliseur Scitex Smart™ 720 et un poste de retouche de couleurs Scitex Rightouch™;
- Les produits Kodak;
- Les ordinateurs Apple inc.;
- Le système de gestion et d'impression des photos avec le logiciel Color Central® de Compumation inc.;
- Le processeur d'images RIP 50 PL2 combiné avec la nouvelle technologie Lino Dot® et Lino Pipeline® de Linotype-Hell®.

Sommaire

De la barbe à la queue...

Voilà que l'on se plaît à croire que le mot barbecue soit né d'une déformation de la langue française: «de la barbe à la queue», une expression qui fait référence à la manière d'embrocher un animal avant de le poser au-dessus d'un feu ardent. D'autres soutiennent que le mot dérive plutôt de l'iroquois: plus précisément de *barbacoa* qui désignerait un support de bois servant à rôtir les viandes. Quoi qu'il en soit, la cuisson sur la braise remonte à la nuit des temps. Longtemps chasse gardée du «mâle moderne», chacun a sa bonne raison de préférer «la barbe à la queue». Aussi bien le citadin-condo sur sa terrasse que le vacancier reclus au bord de l'eau, la braise n'a pas de frontière, sans jeu de mots... Cuisiner avec des verres fumés sur le nez a son charme.

Quand la cuisine se pratiquait directement dans l'âtre, «braiser» signifiait «cuire lentement au milieu des braises». Aujourd'hui, le terme n'est plus utilisé que pour représenter la cuisine à l'étouffée, ou dans un récipient clos, pour des cuissons longues à feu doux. Aussi, je vous prie d'excuser mon écart de conduite médiéval, en l'occurrence l'utilisation du terme «parfait braiseur»...

Le succès monstre de la cuisine au barbecue est attribué au plaisir auquel il est associé, à la liberté qu'il inspire par sa cuisine évolutive et, par-dessus tout, instinctive. Peut porter le nom de parfait braiseur tout *Homo Erectus* souriant que l'on voit errer dans la section cuisine des librairies, s'attarder sur les terrasses le vendredi après-midi dès le mois d'avril. Si le curcuma et la harissa ont pris place dans votre assortiment d'épices et que de belles pousses de basilic et de thym ont remplacé les fleurs d'été au jardin, si vous êtes régulièrement la proie de méditations gourmandes, il y a de fortes chances que vous ayez le profil type. Vous m'en voyez ravie!

La fourchette est l'ennemi juré des grillades. Pourquoi? Parce que les piqûres de ses dents acérées créent des canaux qui permettent au jus de la viande de s'écouler, ce que le bon braiseur cherche à tout prix à éviter.

Technique

Bien que le «pif» soit l'instrument de base du grillardin exemplaire, il n'en demeure pas moins que quelques connaissances sur le sujet évitent de prolonger inutilement l'image de l'apprenti-braiseur.

Entre les deux, mon cœur balance

Au gaz ou au charbon de bois? Chacun présente des avantages différents.

Les appareils alimentés au gaz propane ont la particularité non négligeable de s'allumer en un rien de temps, de s'ajuster en terme de chaleur tout aussi aisément. La température indiquée est assez constante et les citadins apprécieront de ne pas avoir à se départir des cendres.

Les points à surveiller pour ce type d'appareil sont: la puissance en BTU (*British Thermal Unit*), pour obtenir rapidement un degré de chaleur assez élevé et ainsi pouvoir saisir la viande; et la taille de la grille, pour permettre de bouger facilement les aliments tant sur les zones chaudes que sur les surfaces plus tempérées sans embarras.

Les barbecues au charbon de bois se vendent à des prix très abordables et peuvent être transportés sans peine. Ils sont plus romantiques que les nouveaux «performants au gaz», ils demandent aussi plus d'attention pour le contrôle du feu. Certains ne jurent que par le goût «fumé» des aliments grillés sur le charbon de bois. Pour ajouter au charme, il existe dans certaines boutiques spécialisées des sarments de vigne et des sacs de copeaux de bois aromatisés – chêne, érable, mesquite ou hickory – que l'on met à tremper 30 minutes dans l'eau avant de les jeter dans les flammes (ne les utilisez pas avec un appareil au propane, car les cendres obstruent les conduits de gaz). Au risque de vous décevoir – il y a là encore le clan du oui et celui du non –, il semblerait toutefois qu'ils rehaussent plus l'atmosphère que la saveur de vos mets.

Cuit... un peu, beaucoup, à la folie!

Le plus grand mérite du «parfait braiseur» réside dans son bon goût et son aptitude développée à mesurer le degré de cuisson de ses grillades. Cuisson qui varie, entre autres choses, selon la nature, le poids et l'épaisseur de l'aliment, son éloignement de la grille par rapport au brasier, les conditions

THE SM

Réveillons nos sens, nom d'un condiment! En relevant nos plats, les marinades aiguisent comme par magie nos appétits de barbecue. Qu'elles viennent de nos jardins ou des tropiques, toutes les substances subtiles qui rehaussent nos aliments ont pour nom commun condiments. C'est par leur force qu'on les distingue, les condiments légers s'appellent aromates, tandis que les violents sont des épices.

climatiques, la puissance de l'appareil, etc. Je suis subtilement en train de vous dire que vous ne trouverez pas d'indications précises sur le temps de cuisson dans ce recueil. Une même constante régit toutefois la cuisson sur le gril. Sauf exception, les viandes gagnent à être saisies à feu vif pour ensuite poursuivre la cuisson à feu modéré et ainsi laisser la chaleur les pénétrer à l'intérieur.

En règle générale, les ingrédients tendres qui cuisent rapidement sont ceux qui se prêtent le mieux à ce type de cuisson.

• Pour griller «bleu», posez la pièce sur la grille très chaude, de 30 secondes à 1 minute sur un côté, puis faites-la pivoter pour obtenir un joli quadrillage. Répétez l'opération de l'autre côté. Vite fait bien fait, l'extérieur est grillé d'une belle couleur ambrée, l'intérieur est à peu près cru. À la pression du doigt, la viande est presque aussi souple qu'avant de la cuire.

• Pour griller «saignant», même cinéma, mais la séance dure un peu plus longtemps. Jusqu'à ce qu'un jus rosé apparaisse à la surface de la viande. Pressez légèrement avec votre doigt, elle résiste mais a conservé de son élasticité.

• Pour griller «à point», il vaut mieux surélever la grille de manière à l'éloigner des flammes ou bien baisser la température de l'appareil au gaz. Grillez les coupes de viande jusqu'à ce que des goutelettes de sang perlent. Cette cuisson rend la viande nettement plus ferme que la précédente à la pression du doigt.

• Pour griller «bien cuit», vous devinez qu'il faut attendre qu'un jus ambré tirant sur le marron se forme sur la viande. Dites-vous que c'est probablement les dernières traces de jus qui subsistent. Votre doigt se butera à une résistance caractéristique qui se rapproche de la semelle de botte. Tous les goûts sont dans la nature!

Les accessoires

Un vaporisateur d'eau pour tempérer les flammes qui s'élèvent lorsqu'un corps gras se faufile sur la braise. Une pince à long manche pour tout, tout le temps! Une spatule, à long manche également, pour le poisson et les burgers, une brosse métallique pour nettoyer la grille. Bien sûr, une planche à découper et un bon couteau, ça va de soi, un tablier pour faire office d'autorité... C'est à peu près tout.

Oh! j'oubliais, une bombonne de propane de rechange. La panne de gaz, pour l'ambiance, on a vu mieux.

Du sel, du poivre, et quoi encore...

LE SEL, on en met, on n'en met pas, on sale avant, après, pendant... Ah!

Tous les bouquins sur lesquels j'ai mis la main s'accordent à dire qu'il ne faut saler qu'en fin de cuisson pour empêcher la viande de durcir, le sel faisant évaporer l'humidité par osmose. Très bien. Sauf que les méthodes d'élevage ayant évolué avec les ans, les viandes sont moins goûteuses qu'elles ne l'étaient, souvent plus tendres aussi. Or le sel relève les saveurs, à condition de lui laisser le temps d'imprégner la chair. Un exemple me vient à l'esprit: les pommes de terre cuites à l'eau salée, comparées à celles que l'on cuit à l'eau pure pour ensuite les saupoudrer de sel. Les premières, parce que les ingrédients auront eu le temps de s'amalgamer, ne subiront pas le contraste des saveurs mal assimilées des secondes. Le même phénomène se produit avec LE POIVRE. Si vous poivrez un steak après plutôt qu'avant cuisson, la viande n'aura pas pris le goût de l'épice et ce mariage tant désiré n'aura pas lieu. Vous n'êtes pas d'accord? Prenez-le avec un grain de sel, de toute façon, c'est vous qui tenez la salière! Le poivre fraîchement moulu, c'est franchement meilleur.

Pour LES HUILES, il est important de savoir qu'à température élevée, elles perdent leurs propriétés nutritives. Il vaut alors peut-être mieux d'opter pour une huile végétale, moins onéreuse pour la cuisson, que les précieuses huiles de première pression à froid à utiliser en salade.

Les vinaigres, le citron, la lime et le vin, autant de bases acides intimement liées à la cuisine plein air. Référez-vous en page 44 pour quelques combinaisons classiques à utiliser en salades. Un petit mot pour les contenants en aluminium: à proscrire avec les acides pour éviter un goût de métal indésirable et des effets secondaires méconnus.

L'AIL, cet indispensable! Il relève les préparations culinaires à travers les sauces et les marinades. Il peut être consommé cru, mais sa saveur piquante s'atténue et se transforme à la cuisson. En chemise, il se magnifie (voir sa recette en page 96). L'OIGNON prend également une place prépondérante dans la cuisine tout feu tout flamme. On peut dire que ce bulbe a le don d'ubiquité. Il se retrouve dans la plupart des sauces, marinades et chutneys ou simplement en garniture de certains plats, de salades ou de légumes en papillote. L'ANETH est délicieux avec les pommes de terre et le poisson, dont le saumon.

La sauge est une plante aromatique à saveur légèrement camphrée et piquante. Son nom lui vient de salvus, *un mot latin signifiant «sauve». Un sort de la magie médiévale utilisait la sauge pour exaucer l'amour: «Faites trois trous dans une feuille de sauge, reliez-les en y faisant serpenter deux cheveux, un des vôtres et un de la femme que vous désirez. Enterrez la feuille. Elle devrait vous aimer pour toujours.»*

Gardez en tête qu'une viande très froide posée sur le gril ne sera pas saisie convenablement et ne cuira pas de façon uniforme. Exception faite de la volaille, il est préférable de retirer les viandes et les poissons du réfrigérateur quelques minutes avant de les mettre à griller. Surtout pour les pièces de bœuf servies bleues, car on risque qu'elles soient froides à l'intérieur.

LE BASILIC, c'est l'herbe des dieux! Le basilic donne le parfum du midi de la France aux viandes et poissons, aux soupes ou salades. Il perd toutefois beaucoup de saveur sous l'effet de la chaleur. Il vaut mieux le ciseler et le parsemer en fin de cuisson. LA CANNELLE ne parfume pas que les gâteaux, elle accompagne fort bien la volaille et le lapin. Au Maroc, on l'utilise pour aromatiser les tagines d'agneau. LE CAYENNE: la féroce épice est en fait une fine poudre de petits piments séchés de 2 à 4 cm (1/2 à 1 po) de long. Elle est plus forte que la poudre de chili qui, elle, est plus forte que le paprika. Attention aux quantités employées! LE CERFEUIL: on le cisèle pour conférer aux plats une douce saveur anisée et pour accompagner une volaille, un lapin ou un poisson. LA CORIANDRE fraîche se démarque de toutes les herbes par son parfum original et puissant. C'est l'ingrédient de base de la cuisine orientale. Elle enchante littéralement les poissons, les salades et les chutneys. LE CUMIN: aux États-Unis, la consommation de cumin a été multipliée par 40 depuis le début du siècle. Le goût inimitable de cette épice rehausse bon nombre de plats, comme le chili con carne et les lentilles en soupe ou en salade. Avec un peu de «pif», vous lui trouverez aisément d'autres usages. LE CARI, un mélange de plusieurs épices apprécié principalement en Inde, s'apprête avec l'agneau, le poulet et le veau. L'ESTRAGON, compagnon fidèle de la volaille et du lapin, est le complément parfait des tomates d'été en salade. Quelques branches fraîches insérées dans un vinaigre de vin blanc font merveille en vinaigrette. LE GENIÈVRE: ces baies noires, deux fois grosses comme des grains de poivre, s'utilisent en marinade avec le porc, le bœuf et le gibier. Il se marie bien avec l'ail, le romarin et la marjolaine. LE GINGEMBRE frais confère un goût très agréable aux grillades d'inspiration asiatique. Il rehausse aussi bien les plats de viande, de poisson et de fruits de mer que les légumes. LE GIROFLE: à utiliser avec modération, un ou deux clous suffisent à aromatiser une grosse pièce de viande. Même consigne pour LE LAURIER, dont le goût très présent se doit d'être bien dosé pour ne pas rendre amères les préparations. Une demi-feuille convient généralement pour agrémenter les viandes, volailles ou poissons. LA MARJOLAINE (ou origan): sa saveur rappelle celle du thym, en plus épicé. Elle convient aux marinades pour volailles et viandes blanches.

LA MUSCADE s'emploie avec les viandes hachées grillées, notamment le poulet et le veau. LE PAPRIKA: il vous en faudra pour goûter les ailes de poulet piquantes. Le paprika, comme le poivre de Cayenne, est une poudre issue d'une variété de piment doux et sa force varie selon qu'on a laissé plus ou moins de graines avant de moudre. Le paprika hongrois est d'ordinaire plus piquant que son cousin espagnol. LE ROMARIN doit prendre place dans votre jardin. L'arbrisseau supporte notre climat jusqu'aux neiges et s'accommode d'un pot de grès pour passer l'hiver. Son arôme prononcé très caractéristique s'associe avec l'agneau, le porc, le lapin, le canard, etc. Jetez-en quelques branches sur les braises avant de griller les viandes ou badigeonnez-les de marinade avec un bouquet de cette herbe fraîche en guise de pinceau. LA SAUGE étant robuste, on doit l'utiliser avec parcimonie sur le gibier, l'agneau et le porc. Et de préférence en fin de cuisson, car elle ne supporte pas bien la chaleur. Par contre, au frais, elle se conserve sans perdre trop de saveur. LE THYM, pilier du bouquet garni, se révèle bon allié. Et c'est beau dans le jardin! Son goût plutôt doux permet de l'utiliser plus généreusement que d'autres herbes. Il supporte les températures élevées et se marie à presque tout, comme par enchantement.

Qu'ils soient noirs, verts ou blancs, les grains de poivre sont issus d'une même plante, mais sont cueillis à différents stades de mûrissement. Le poivre blanc est plus piquant et moins subtil que le poivre noir. Les baies vertes sont plus fraîches et moins piquantes. Quant à l'aromatique poivre rose, il provient d'une espèce différente.

En cuisine, comme dans

tous les arts, la simplicité

est le signe de la perfection.

Curnonsky

Et hop, la sauce!

Quand on mijote, saute ou rôtit, on conserve le jus de cuisson des viandes pour les parfumer et les servir en accompagnement. Les grillades ne jouissent pas de ce privilège. Tant pis, cinq mousquetaires sont là pour changer la face du monde: les marinades, les beurres composés, les salsas, les sauces et les chutneys.

Notre patrimoine nous enseigne que le but d'une marinade acide est de rehausser les saveurs et d'attendrir les viandes, tandis que les mélanges composés d'huile et d'herbes visent à parfumer les viandes maigres, à les empêcher d'adhérer à la grille et aident à obtenir à la cuisson une couche extérieure croustillante.

Quant aux marinades dites sèches ou en pâte, elles sont plus appuyées en saveurs, concentrées à la surface de la pièce de viande et produisent une croûte plus croustillante encore.

Une polémique perdure au sujet des marinades acides. Je vous l'expose. Lorsqu'on parle d'attendrir une viande, on s'entend pour dire que l'acidité du citron, du vinaigre, du vin ou du yogourt agit sur la structure moléculaire du morceau pour en briser les fibres, ce qui change la texture extérieure de la viande. Il y en a pour jurer que le procédé attendrit, tandis que d'autres croient plutôt qu'il désintègre la chair. De plus, les défenseurs du non ajoutent que la pénétration de la marinade dans la viande se limite plus souvent qu'autrement à la surface et qu'il est, par conséquent, inutile de prolonger la baignade. Faites vos jeux!

Les têtes d'ail qui ont un peu vieilli présentent en leur centre un germe amer qu'il vaut mieux retirer pour limiter les parfums de bouche... Plusieurs recettes proposent à cet effet dans la liste des ingrédients des gousses d'ail dégermées et broyées. Il s'agit en fait de fendre les gousses en deux, d'en retirer le germe et de les placer à plat sur une planche à découper. Avec le revers d'un large couteau posé sur les gousses d'ail, on les écrase d'un coup de poing ferme pour libérer leur saveur. Voilà!

Un doux compromis consiste à considérer les marinades de plusieurs heures pour les viandes plus coriaces, comme le font les Arabes avec leurs concoctions à base de yogourt, et s'en tenir à mariner, au plus, deux heures les pièces tendres. Arrosez-les plutôt de marinade avec un joli pinceau fait d'herbes fraîches pendant la cuisson et conservez-la pour la servir chaude en accompagnement.

La classique «sauce BBQ»

donne environ 750 ml (3 tasses)

2 c. à soupe d'huile
2 oignons moyens hachés
2 gousses d'ail dégermées et broyées
2 branches de céleri avec leurs feuilles
1/2 poivron vert
1 boîte de 875 ml (28 oz) de tomates en conserve égouttées et hachées
1 boîte de 150 ml (5 1/2 oz) de pâte de tomate
85 ml (1/3 tasse) de vinaigre de vin rouge
1/2 citron pressé
3 c. à soupe de mélasse
2 c. à thé de moutarde sèche
1 feuille de laurier
1/2 c. à thé de clou de girofle moulu
1/2 c. à thé de toute-épice
1 c. à thé de tabasco (au goût)
1 c. à thé de poivre du moulin, sel

En règle générale, et notamment ici, on ne doit pas utiliser de casserole ou de récipient en aluminium lorsque des aliments acides doivent y séjourner.

Alors, dans une grande casserole, faites chauffer l'huile pour y jeter les oignons, l'ail, le céleri et le poivron vert. Ne laissez pas dorer l'oignon, il doit devenir transparent, sans plus.

Ajoutez les autres ingrédients, couvrez et laissez mijoter 30 min en remuant occasionnellement jusqu'à ce que la sauce épaississe. Retirez la feuille de laurier.

Cette sauce s'utilise... à toutes les sauces! Aussi bien en marinade, avec le Boston broil par exemple (voir page 75), qu'en sauce onctueuse si vous la passez au mélangeur.

Ouvre-toi sésame

Marinade orientale

donne 375 ml (1 1/2 tasse)

250 ml (1 tasse) de sauce soya
2 c. à soupe d'huile de sésame orientale
125 ml (1/2 tasse) d'huile neutre
1 c. à soupe de cassonade
2 c. à soupe de gingembre frais émincé
2 c. à soupe de graines de sésame
1 ou 2 piments séchés et broyés
4 c. à soupe de basilic frais ciselé

Dans un bol, mélangez à la fourchette tous les ingrédients pour émulsifier la sauce.

Déposez dans la marinade les pièces à mariner, viandes, volailles ou légumes, et réfrigérez.

Cette marinade gagne à être utilisée également pendant la cuisson à feu moyen, elle caramélise légèrement.

Pro yogourt!

Marinade au yogourt et à la menthe

---

donne 375 ml (1 1/2 tasse)

250 ml (1 tasse) de yogourt nature
60 ml (1/4 tasse) de crème sure
2 c. à soupe d'huile
2 gousses d'ail dégermées et broyées
1 quartier de citron pressé
1 c. à thé de cardamome moulue
1 c. à thé de coriandre moulue
1 c. à thé de fenugrec moulu
1 pincée de sucre
3 c. à soupe de feuilles de menthe hachées
sel et poivre du moulin

Une marinade classique parfumée à la menthe qui peut être adaptée selon vos goûts et selon ce qui se trouve dans votre étalage d'épices. Pas de fenugrec, pas de problème!

Essayez d'autres combinaisons ou omettez-le, l'improvisation faisant partie du charme du grillardin.

Mélangez bien tous les ingrédients de la marinade, et faites mariner bœuf, agneau ou volaille au réfrigérateur. Gardez toutefois quelques feuilles de menthe fraîches que vous hacherez pour garnir vos grillades.

Le Frédéric Mistral

Aïoli

---

donne 250 ml (1 tasse)

1 jaune d'œuf
1 c. à soupe de moutarde de Dijon
sel et poivre
250 ml (1 tasse) d'huile d'olive
2 gousses d'ail dégermées et broyées

Battez au malaxeur le jaune – que vous avez laissé quelques minutes à la température ambiante – en ajoutant la moutarde, le sel et le poivre. Montez la mayonnaise en incorporant l'huile en un mince filet. Ajoutez l'ail à la préparation et mélangez.

L'aïoli et le homard grillé, le bonheur! Il faut aussi le goûter avec les brochettes de filet mignon et d'artichauts (voir page 67).

En 1891, un journal baptisé l'Aïoli a vu le jour sous la plume de Frédéric Mistral, célèbre poète du Midi, qui s'exprimait ainsi: «L'aïoli concentre en son essence la chaleur, la force, l'allégresse du soleil de Provence, mais il a aussi une vertu, celle de chasser les mouches.»

Bien sûr l'ail éloigne les vampires! Pas juste les vampires! L'haleine d'ail n'a rien de séducteur et, malheureusement, le persil, la menthe et les grains de café ne tiennent pas le pari d'éliminer l'odeur de l'ail. Tant pis pour le nez, c'est bon pour la santé!

Aïe aïe aïe

Beurre à l'ail et à la ciboule

185 g (6 oz) de beurre ramolli
1 c. à soupe de ciboule hachée
1 gousse d'ail dégermée et broyée
1 c. à thé de paprika
1 c. à thé de jus de citron
quelques gouttes de tabasco

Préparez le beurre à l'ail et à la ciboule en mélangeant tous les ingrédients pour obtenir une pommade. Formez un boudin en le roulant avec une feuille de papier ciré, enveloppez-le dans de la pellicule plastique alimentaire et réfrigérez.

L'idéal, pour les beurres composés, c'est d'en préparer quelques-uns et de les conserver au congélateur. De cette façon, on peut en tout temps les trancher en rondelles et ils constituent une réserve de choix pour le prochain «déjeuner sur l'herbe».

Persillade citronnée

Beurre froid persillé à la lime

125 g (4 oz) de beurre ramolli
2 c. à soupe de persil haché
1 lime pressée avec la pulpe
sel et poivre au goût

Mélangez tous les ingrédients à la fourchette dans un bol, placez la préparation au centre d'un papier ciré et moulez-la rapidement pour obtenir un petit rouleau de beurre de 2 à 3 cm de diamètre. Laissez durcir au réfrigérateur et tranchez des disques de 1/2 cm d'épaisseur pour servir avec, entre autres, le thon mariné au St-Raphaël (voir page 88).

Salsa à la tomate et au poireau

donne 500 ml (2 tasses)

2 grosses tomates coupées en petits dés
4 c. à soupe de piment jalapeño
1 blanc de poireau moyen haché
2 limes pressées
4 c. à soupe de coriandre hachée

Préparez la salsa en mélangeant tous les ingrédients et conservez-la au réfrigérateur jusqu'au moment de la servir. Servez avec le riz aux fèves rouges (voir page 99).

Délice doré

Salsa à l'oignon rouge et à la mangue

donne 500 ml (2 tasses)
2 mangues coupées en dés
2 oignons rouges moyens hachés
1/2 poivron rouge coupé en dés
2 limes pressées
2 c. à soupe de coriandre fraîche hachée
2 c. à thé de piment frais jalapeño haché
quelques gouttes de tabasco
sel et poivre du moulin

Un délice coloré qui se marie audacieusement au poisson. Le meilleur test: le doré à l'antillaise (voir la recette en page 87).

Préparez la salsa en mélangeant tous les ingrédients. Prenez toutefois le temps de goûter le piment pour tester son «mordant» et ainsi doser la quantité, car tous les piments ne naissent pas égaux…

Sortilège mexicain

Salsa à l'ananas

donne 750 ml (3 tasses)
3 tomates italiennes fraîches coupées en petits dés
le tiers d'un ananas frais coupé en petits dés
1/2 poivron rouge coupé en petits dés
1/2 poivron vert coupé en petits dés
1 oignon rouge moyen haché
1 c. à soupe de coriandre hachée
2 c. à soupe de piment frais jalapeño haché
1 c. à soupe d'ail dégermé et broyé
2 oranges pressées
3 limes pressées
2 c. à soupe de vinaigre blanc
sel et poivre du moulin

Voilà une salsa qui se bonifie avec le temps pour mieux réveiller les papilles. Mélangez tous les ingrédients et laissez reposer au réfrigérateur 3 ou 4 jours avant de servir.

Goûtez-la avec les brochettes de bœuf fajitas (voir page 67).

Les variations d'un beurre composé sont à la mesure de votre imagination. Des exemples?

- *Le beurre d'anchois pour accompagner les poissons: 2 c. à soupe de pâte d'anchois pour 100 g (3 1/2 oz) de beurre.*
- *Le beurre au pistou: 2 gousses d'ail, du basilic et un soupçon de jus de citron ajoutés à 100 g (3 1/2 oz) de beurre.*
- *Le beurre d'amandes pour les volailles: 75 g d'amandes effilées et grillées pour 100 g (3 1/2 oz) de beurre.*

Le chutney est un condiment aigre-doux fait de fruits et/ou de légumes cuits avec du vinaigre, du sucre et des épices. Il doit avoir la consistance d'une confiture. Quant à la salsa, c'est un mélange de fruits, de légumes ou des deux, bien relevé et servi cru. Elle gagne en saveur après quelques jours au réfrigérateur. Patience… Point commun: ces deux accompagnements se dégustent froids avec des plats peu assaisonnés.

Robin des bois

Chutney aux pommes

donne environ 375 ml (1 1/2 tasse)

500 g (2 tasses) de pommes en morceaux
1 piment fort
1 c. à soupe de beurre
1 petit oignon haché
2 clous de girofle
gingembre
1 pincée de cannelle
1 pincée de graines d'anis
1 c. à thé de curcuma
2 c. à soupe de cassonade
1 c. à soupe de vinaigre
sel

Parez les pommes pour ne garder que la chair que vous couperez en petits morceaux. Équeutez le piment et hachez-le menu après avoir retiré les graines et le pédoncule.

Dans une petite casserole, faites chauffer le beurre et jetez-y l'oignon haché, toutes les épices ainsi que le piment. Faites chauffer une minute, ajoutez les pommes et laissez cuire 2 ou 3 min de plus en remuant.

Durant la cuisson, mouillez avec de l'eau pour éviter que les pommes attachent au fond de la casserole. Laissez mijoter 10 min en brassant occasionnellement.

Saupoudrez de cassonade et laissez le mélange épaissir.

Laissez refroidir et servez. Ce chutney accompagne admirablement bien presque toutes les viandes, particulièrement le porc et l'agneau.

Chutney Clémentine

Chutney aux fruits et au sirop d'érable

donne 1 l (4 tasses)

5 poires pelées et coupées en petits dés
2 pommes pelées et coupées en petits dés
1 boîte de 285 ml (9 oz) de mandarines en conserve avec leur jus
1 petit oignon grossièrement haché
100 g (1/2 tasse) de raisins secs blonds
125 ml (1/2 tasse) de sirop d'érable
125 ml (1/2 tasse) de jus d'orange
60 ml (1/4 tasse) de vinaigre blanc
2 c. à soupe de gingembre confit finement haché
1 généreuse pincée de cannelle

Faites cuire tous les ingrédients à feu moyen pendant 30 min environ en remuant de temps en temps, mais doucement pour ne pas abîmer les fruits.

Le chutney est cuit lorsque le liquide s'est évaporé. Laissez-le refroidir et servez-le avec les râbles de lapin au cari (voir page 60).

Oignon vert, ciboule, échalote verte, échalote française, échalote tout court... qui dit vrai? Il y en a trois à différencier. La ciboule est le terme exact pour désigner ce qu'on appelle à tort au Québec, l'échalote. Les brins de ciboulette sont plus menus et ils poussent en touffes au jardin. La seule qui devrait porter le nom d'échalote est le bulbe recouvert d'une fine peau rosée, voisin de l'ail et de l'oignon, qu'on qualifie d'échalote grise, d'échalote sèche ou française.

Par ici, la chinoiserie

Sauce aigre-sucrée

donne 250 ml (1 tasse)

85 ml (1/3 tasse) de bouillon de poulet
2 c. à soupe de cassonade bien tassée
60 ml (1/4 tasse) de vinaigre de cidre
1 c. à soupe de jus de citron
1 c. à soupe de sauce chili
1 échalote française émincée
1 1/2 c. à thé de sherry sec
1 1/2 c. à thé de sauce soya
1 c. à soupe de fécule de maïs
1 c. à soupe d'eau

Dans une petite casserole, mélangez tous les ingrédients à l'exception de la fécule de maïs et de l'eau. Amenez à ébullition.

Délayez la fécule dans l'eau, incorporez au mélange. Laissez mijoter 2 ou 3 min alors que la sauce s'épaissit.

Servez tiède sur du porc ou du poulet, ou utilisez-la au pinceau pour glacer vos grillades.

Le yogourt fait son frais

Sauce au yogourt et au cumin

donne environ 375 ml (1 1/2 tasse)

250 ml (1 tasse) de yogout nature
3 c. à soupe de crème sure
1/2 citron pressé
2 ciboules émincées
2 gousses d'ail dégermées et broyées
2 c. à soupe de cumin moulu
1 pincée de sucre
sel et poivre du moulin

«La» sauce fraîcheur par excellence! Il suffit de combiner les ingrédients dans un bol moyen et de réfrigérer la préparation avant de servir.

Renversant avec la volaille, l'agneau, les légumes grillés et même le bœuf en brochettes.

Vous pouvez également servir cette sauce en trempette avec des légumes crus.

Rouge de plaisir

Sauce aux poivrons rouges grillés

donne 250 ml (1 tasse)
2 gros poivrons rouges
8 oignons verts émincés
2 gousses d'ail dégermées et broyées
4 c. à soupe d'huile
4 c. à thé de moutarde de Dijon
2 c. à thé de miel
4 c. à soupe de basilic frais ciselé
sel et poivre au goût

Comme le barbecue fait merveille pour cuire les poivrons, profitons-en! C'est peut-être l'occasion de griller quelques poivrons supplémentaires pour les mettre en pot dans une huile d'olive de première pression à froid parfumée de basilic frais, pendant que ce dernier est à son meilleur et qu'il n'est pas encore vendu à prix d'or...

Placez vos poivrons entiers sur la grille bien chaude et laissez l'extérieur noircir par endroits pour enlever plus facilement la peau après. Tournez-les fréquemment. La chair à l'intérieur devrait à peine se colorer. Placez-les dans un sac ou un contenant de plastique pendant 30 min pour les laisser s'amollir. Enlevez la peau, le pédoncule et les graines, mais conservez le jus pour l'incorporer à la sauce. Coupez vos deux poivrons grillés grossièrement et réservez.

Dans une poêle, faites tomber les oignons et l'ail dans l'huile. Ciselez les feuilles de basilic, réservez.

Retirez du feu et laissez refroidir avant de les réduire dans votre mélangeur avec tous les autres ingrédients réservés. Actionnez le mélangeur pour obtenir une texture homogène.

Piment et poivron sont deux variétés d'une même espèce qui répond au joli nom scientifique de Capsicum. *Qu'il soit vert, jaune ou rouge, le piment s'utilise frais ou séché, mais toujours avec parcimonie. Il a tendance à brûler un peu, beaucoup, passionnément, selon le cas. De son côté, le poivron est un gros piment, vert, rouge, orangé, violet ou noir, à la saveur douce et sucrée. Dans les deux cas, plus ils sont rouges, plus ils sont fruités et plus ils ont «les épaules larges», plus ils sont doux. Méfiez-vous, il y a des exceptions à chaque règle!*

Oh, la gribiche!

Sauce froide aux œufs

1 œuf cuit dur
250 ml (1 tasse) d'huile
2 c. à soupe de vinaigre
sel et poivre du moulin au goût
1 c. à soupe de petites câpres
1 c. à soupe de persil haché
1 c. à soupe de cerfeuil haché
1 c. à soupe d'estragon ciselé

Un classique français plutôt spécial qui se veut le complément des poissons et du homard. On aime ou on n'aime pas... Moi j'aime.

Plongez d'abord un œuf dans l'eau bouillante et, dès que l'ébullition a repris, comptez 10 min de cuisson. Trempez-le dans l'eau froide et écalez-le quand il aura refroidi.

Dans un bol moyen, écrasez bien le jaune d'œuf pour en faire une pâte très fine. Ajoutez l'huile en un mince filet, comme pour monter une mayonnaise.

Quand la sauce est montée, ajoutez le reste des ingrédients et le blanc d'œuf cuit taillé en julienne.

Servez!

La crème de la crème

Sauce chaude à la lime

1 lime pressée
4 c. à soupe de vin blanc sec
4 c. à soupe de vinaigre de vin blanc
170 ml (2/3 tasse) de crème à 35 %
quelques gouttes de tabasco
poivre
250 g (8 oz) de beurre coupé en carrés
le zeste d'une lime

Pour éviter les chichis, vous pouvez préparer cette sauce trois heures à l'avance et la conserver dans un thermos jusqu'au moment de passer à table.

Dans une petite casserole, faites réduire au 2/3 le jus de lime, le vin et le vinaigre. Versez la crème et laissez épaissir avant d'ajouter le tabasco, le poivre et le beurre. Retirez du feu. Fouettez pour obtenir une sauce onctueuse, puis incorporez le zeste de lime. Réchauffez le thermos avec de l'eau bouillante avant d'y verser la sauce.

Tous les fruits de mer gagnent à être accompagnés de cette sauce, notamment les brochettes de pétoncles (voir en page 88).

Dans le Kalevala, *une épopée finnoise, on raconte qu'avant la naissance du temps, la déesse des eaux (la Vierge) aurait laissé poindre son genou à la surface de l'eau et qu'un canard en aurait profité pour y déposer six œufs d'or et un de fer. Et hop! La Vierge plonge, les œufs se brisent et tous les morceaux se transforment. Le bas de la coquille de l'œuf forme le firmament, le dessus du jaune devient le soleil, le dessus du blanc constitue la lune, les débris tachés de la coquille donnent les étoiles et tout morceau foncé de la coquille prend l'apparence d'un petit nuage. Le temps avança désormais... Joli!*

alade fleurie d'épinards,
de pignons et d'oranges

Les préambules d'un grillardin gourmand

Tout bon braiseur connaît la loi des préliminaires, j'entends par là un potage frais ou une salade parfumée et colorée, pour mettre les papilles en émoi et donner l'occasion aux convives de parler, entre deux bouchées, le temps de vous espérer...

Le temps aussi d'amener votre ou vos invités à se détendre doucement, un apéritif léger à la main.

J'ai regroupé dans ce chapitre les bouchées froides ne requérant pas forcément de grillade. Toutefois, les propositions de plusieurs plats rassemblés sous les rubriques subséquentes peuvent tout aussi bien représenter d'intéressantes entrées en matière. Jugez simplement des quantités de manière à conserver la digne place que devrait occuper le dessert fruité qui se languit d'être consommé.

Pour s'y retrouver dans les appellations, précisons que la bisque est un coulis de crustacés arrosé de vin blanc, de cognac et de crème fraîche. Une crème de légumes est élaborée à partir d'une béchamel, tandis que soupe et potage se disputent, à peu de choses près, la même définition. Ce qui, éventuellement, différencie un potage d'une soupe est le fait que le potage est passé au mélangeur ou lié au beurre, à la crème, à la fécule, ou autre.

Huit carottes chez les anges

Potage aux carottes

8 grosses carottes
2 oignons moyens
1 c. à soupe de beurre
1 l (4 tasses) de bouillon de poulet
125 ml (1/2 tasse) de crème à 35 %
sel et poivre

Coupez les carottes en tronçons de 2 cm (3/4 po) et les oignons en rondelles.

Dans une casserole à fond épais ou antiadhésive, faites fondre les légumes dans le beurre pendant 10 min. Recouvrez de bouillon de poulet et amenez à ébullition. Laissez bouillir 5 min. Passez le tout au mélangeur avant de remettre sur le feu. Laissez mijoter la préparation 30 min en raclant le fond occasionnellement. Si la préparation vous paraît trop épaisse, ajoutez un peu de bouillon.

Ajoutez la crème et passez à nouveau au mélangeur. Voilà une étape qui peut vous paraître superflue, mais la sauter vous priverait de la suprême onctuosité de ce potage! Remettez donc sur le feu 5 min pour la réchauffer sans bouillir, assaisonnez de sel et de poivre, servez sans plus tarder.

Cette soupe peut être servie froide, décorée de ciboulette hachée ou d'une petite fleur comestible «si Georges vient dîner». Faites suivre d'une grillade d'agneau ou de bœuf pour un mariage exemplaire.

Pour la parfumer davantage, ajoutez une racine de gingembre frais à la cuisson ou servez-la parsemée de coriandre fraîche ciselée.

Un avocat dans le potage

Potage à l'avocat

1 petit oignon haché
2 c. à soupe de beurre
2 c. à soupe de farine
1 l (4 tasses) de bouillon de poulet froid
1 c. à soupe de jus de citron frais
1 c. à soupe de vinaigre d'estragon
1 gousse d'ail entière
1 c. à soupe de raifort préparé et égoutté
1 c. à thé de sel
1/4 c. à thé de cari
1/4 c. à thé d'estragon frais
poivre du moulin
1 gros avocat bien mûr
250 ml (1 tasse) de lait
250 ml (1 tasse) de crème légère

Riche et délicate, cette soupe gagne à être servie en petite quantité.

Dans une grande marmite, faites blondir l'oignon dans le beurre. Lorsqu'il est transparent, saupoudrez de farine, mélangez bien, puis ajoutez 500 ml (2 tasses) de bouillon progressivement. Remuez continuellement avec une cuiller en bois et laissez cuire jusqu'à épaississement à la manière d'une béchamel.

Incorporez le jus de citron, le vinaigre, l'ail, le raifort et les assaisonnements. Couvrez et laissez mijoter à feu doux 10 min environ.

Coupez l'avocat en deux et dénoyautez-le. Avec une cuiller, séparez la chair de la peau et coupez-la en cubes grossiers pour ensuite les déposer dans un robot culinaire. Réduisez la chair en purée en délayant avec la préparation précédente, 1 tasse à la fois, pour faciliter la liquéfaction de la préparation.

Transvasez la purée dans ce qui vous reste du premier mélange, ajoutez le lait et la crème en remuant. Portez à ébullition et laissez mijoter 5 min. Versez dans un grand bol, laissez au potage le temps de prendre la température ambiante avant de le mettre au réfrigérateur.

Si vous attendez 6 ou 8 convives, vous pouvez aisément doubler la recette de cette soupe qui peut être servie aussi bien chaude que froide. Froide, parsemez-la de ciboulette fraîche, si désiré.

Le raifort est un légume-racine de la famille du navet et du radis à saveur forte et brûlante. En anglais, on le nomme horseradish. *Si vous affectionnez les breuvages à base de clamato (*virgin et bloody ceasars*), ajoutez à votre prochaine consommation 1 c. à thé comble de raifort préparé, comme on en trouve facilement en pot dans les magasins d'alimentation. Additionné d'un trait de vodka, de jus de lime, de sel de céleri, de sel, de poivre et d'un amas de glace, il n'y a pas plus… désaltérant!*

Potage
aux carottes

L'oseille est une herbe au goût prononcé et acide qui relève les plats auxquels on la mêle. Dans les années 1800, avant que Lamartine – poète et homme politique français – ait fait baisser les énormes impôts qui pesaient sur le sel, on utilisait, à défaut de cet assaisonnement, l'oseille sauvage dans les soupes. D'où l'utilisation argotique française du mot oseille pour désigner l'argent.

Le tonique velouté

Crème d'épinards ou d'oseille

1 oignon moyen émincé
2 c. à soupe de beurre
2 c. à soupe de farine
750 ml (3 tasses) de bouillon de poulet refroidi
1 paquet d'épinards frais bien lavés et essorés ou l'équivalent en oseille ou encore mieux, moitié-moitié
sel et poivre
60 ml (1/4 tasse) de crème à 35 %

Dans une casserole moyenne antiadhésive, faites revenir l'oignon dans le beurre 3 à 4 min. Ajoutez la farine et laissez cuire, à feu très doux en brassant avec une cuiller en bois, 10 min de plus.

Ajoutez le bouillon de poulet lentement – comme si vous faisiez une béchamel – en remuant continuellement. Ajoutez les épinards ou l'oseille, au goût citronné rafraîchissant, et laissez cuire environ 10 min. Salez, poivrez et passez au mélangeur 1 min.

Remettez sur le feu, ajoutez la crème et laissez mijoter encore 5 min.

Servez chaud ou froid, arrosé d'un filet de crème fraîche.

Le 11e commandement

Bruschetta à la tomate

1 baguette de pain
2 gousses d'ail fendues en deux
6 grosses tomates de jardin bien mûres, tranchées en fines rondelles
3 c. à soupe de basilic ciselé
125 ml (1/2 tasse) d'huile d'olive extra-vierge
sel et poivre du moulin

Quand on pose sur ses lèvres une bouchée de bruschetta, c'est l'Italie qui nous rentre droit dans le cœur! C'est bon!

Faites d'abord mariner les tomates avec le basilic, l'huile, le sel et le poivre.

Coupez la baguette sur la longueur. Faites griller le pain des deux côtés jusqu'à ce qu'il devienne doré. Pendant qu'il est encore chaud, frottez les gousses d'ail sur la mie jusqu'à ce qu'elles n'en peuvent plus, garnissez généreusement chaque moitié de pain de la marinade de tomates.

Remettez sur le gril 1 ou 2 min, le temps de réchauffer le pain, découpez en portions et servez sans plus tarder.

Le barbecue est déjà occupé? Faites la bruschetta au four et accompagnez-la d'aubergines ou de poivrons grillés.

En règle générale, les vinaigrettes se composent, en proportions, de 2 c. à soupe de vinaigre pour 5 c. à soupe d'huile. Les bons mélanges à garder en mémoire:
• citron et huile d'olive • vinaigre de xérès et huile d'olive • vinaigre de vin et huile de noix • vinaigre de cidre et huile de noisette • vinaigre de framboise et huile neutre • vinaigre balsamique et huile d'olive.

L'épineuse

Salade fleurie d'épinards, de pignons et d'oranges

6 oranges
1 paquet d'épinards, équeutés, lavés et essorés
1 petite roquette ou, à défaut, du cresson
1 1/2 c. à soupe de pignons
3 échalotes françaises pelées et finement hachées
2 gousses d'ail dégermées et broyées
2 c. à soupe de vinaigre balsamique
2 c. à thé de vinaigre de framboise
poivre du moulin
sel au goût

Avec un petit couteau, pelez les oranges et séparez-les en quartiers. Au-dessus d'un bol afin de récupérer le jus, ôtez les cloisons et les pépins de chaque quartier de manière à ne conserver que la partie céleste du fruit, celle qui n'offre aucune résistance en bouche. Réservez la pulpe au réfrigérateur.

Dans un saladier, mélangez les épinards et la roquette que vous réserverez aussi au réfrigérateur pendant que vous ferez griller les pignons dans une poêle antiadhésive (sans ajouter de matière grasse), à feu moyen pendant 6 min.

Dans une poêle, faites chauffer le jus d'orange récupéré, ajoutez les échalotes, l'ail et les vinaigres. Amenez à ébullition, poivrez, versez sur la salade et mélangez. Répartissez la salade assaisonnée dans les assiettes, garnissez d'oranges et de pignons.

Laissez le soin à chaque invité de touiller sa salade pour ne pas faire de vos oranges une charpie lamentable.

Pourquoi faire réduire la sauce dans une poêle alors qu'une petite casserole semble plus appropriée? Tout simplement parce que la chaleur est diffusée plus également sur une grande surface.

La salade de Monsieur Seguin

Salade de fromage de chèvre et noix

4 tranches de pain croûté frais
4 belles portions de fromage de chèvre
2 laitues Boston
4 tomates moyennes fermes
1/2 c. à thé de gros sel
85 g (1/2 tasse) de noix de Grenoble grillées

Vinaigrette

60 ml (1/4 tasse) d'huile de noix
60 ml (1/4 tasse) d'huile de tournesol
85 ml (1/3 tasse) de vinaigre balsamique
1 gousse d'ail dégermée et broyée
1/2 c. à thé de moutarde sèche
1 c. à thé de sucre
sel et poivre du moulin au goût

Pour cette salade, procurez-vous de la biquette chez le fromager. Il s'agit d'un fromage de chèvre vieilli qui a la forme d'une petite bûche. Pour des parts généreuses servies en plat principal, il faut compter une tranche de 1 cm (1/2 po) de fromage couchée sur une épaisse tranche de pain pour chaque convive.

Faites griller les tranches de pain sur un côté, tournez-les lorsqu'elles seront dorées. Déposez sur chaque tranche le fromage et fermez le couvercle de votre barbecue. Vous pouvez faire la même chose sous le gril de votre four.

Disposez la laitue et les quartiers de tomates dégorgés au gros sel dans quatre bols, placez sur chaque salade un croûton grillé au fromage. Parsemez de noix de Grenoble ou d'une poignée de pignons grillés au four pour les dorer, sans plus. Attention, les noix brûlent très vite!

Préparez la vinaigrette et versez-la sur la salade et sur les croûtons pour qu'ils s'imbibent bien de sauce.

Vous pouvez servir ce plat en entrée, diminuez simplement les portions.

Un vieil adage nous souffle à l'oreille qu'il faut quatre personnes pour composer une salade: un sage pour mesurer le sel, un avare pour verser le vinaigre, un prodigue pour ajouter l'huile et un fou pour la touiller...

Salade de fromage de chèvre et noix

Foie de veau grillé
en salade

La subtile

Salade de farfalle au pesto

450 g (2 tasses) de farfalle
(boucles ou papillons)
2 grosses tomates concassées
quelques gouttes d'huile d'olive
quelques feuilles de basilic frais

Pesto

1 généreuse poignée de pignons
125 ml (1/2 tasse) d'huile d'olive
1 grosse botte de basilic frais haché
60 g (1/2 tasse) de parmesan ou
de Romano râpé
3 c. à soupe de beurre fondu
1 grosse gousse d'ail dégermée et broyée
sel et poivre du moulin

Dans une poêle antiadhésive, faites griller les pignons en prenant garde qu'ils ne carbonisent pas. Mélangez tous les ingrédients du pesto dans un robot culinaire pour obtenir une pâte onctueuse.

Dans une marmite, faites cuire les pâtes à l'eau bouillante salée. Ajoutez quelques gouttes d'huile pour empêcher l'eau de déborder et les farfalle de s'agglutiner. Quand elles sont cuites mais à peine croquante, égouttez-les.

Incorporez aux pâtes bien égouttées une quantité suffisante de pesto pour les en enduire légèrement, et hop les tomates. Garnissez de feuilles de basilic frais.

Le reste du pesto se conserve 3 ou 4 jours au réfrigérateur au plus. Par contre, il supporte très bien la congélation et saura vous ravir dès l'automne lorsque les denrées fraîches se feront plus rares.

L'audacieuse

Foie de veau grillé en salade

375 g (3/4 lb) de foie de veau
8 gros champignons
2 c. à soupe d'huile d'arachide
2 laitues Boston
1 petit casseau de framboises fraîches

Vinaigrette

3 c. à table de vinaigre de xérès
1 c. à thé de moutarde de Dijon
85 ml (1/3 tasse) d'huile d'olive
1 pincée de sucre
sel et poivre

Les foies de lapin se prêtent également très bien à cette préparation. En revanche, avec ceux de poulet, c'est pas terrible!

Pour faire griller des épis de maïs entiers, il faut retirer «les cheveux» tout en conservant attachées les feuilles pour recouvrir à nouveau l'épi avant la cuisson. Mettez-les à tremper quelques minutes dans l'eau froide pour éviter que les feuilles ne s'enflamment, égouttez-les et faites griller à feu doux de 15 à 20 min. Retirez les feuilles, beurrez, salez et poivrez les épis et reposez-les quelques instants sur le gril. Servez. Vous pouvez pousser la gourmandise jusqu'à arroser vos épis de sirop d'érable; remettez-les sur le gril après, ils deviendront caramélisés.

Un adversaire de taille pour Stallone: l'abominable crabe des mers. Le crabe est belliqueux, il aime la guerre assez pour la provoquer. C'est un combattant habile, agressif et persévérant; si par malheur son rival lui arrache une patte, elle repousse... Chut! je vous dis la fin: le crabe meurt couché sur le dos, tout con, sans blessure, car il est incapable de se retourner...

Badigeonnez les champignons d'huile d'arachide et faites-les griller. Faites de même avec le foie de veau, grillez-le à feu moyen environ 2 min de chaque côté. L'intérieur doit rester rosé.

Retirez ensuite les cœurs des laitues et conservez les feuilles extérieures que vous disposerez dans quatre bols à salade.

Mélangez les ingrédients de la vinaigrette et versez-la sur les cœurs coupés. Déposez ce mélange dans chaque bol et faites suivre les champignons ainsi que le foie de veau coupé en lanières.

Décorez de framboises fraîches – ou de morceaux d'ananas frais tranché – et servez.

La méditerranéenne

Salade de bocconcini, tomates et basilic frais

16 belles feuilles de laitue
250 g (1/2 lb) de bocconcini (fromage italien)
4 belles tomates mûres
4 c. à soupe de basilic frais ciselé
1/2 c. à thé d'origan frais
sel et poivre
4 c. à soupe d'huile d'olive extra-vierge
1 c. à soupe de vinaigre balsamique

Pour cette salade, abstenez-vous de choisir des laitues au goût prononcé, préférez-leur une belle frisée ou une Boston bien fraîche.

Demandez au fromager de belles boules de bocconcini de bonne qualité: c'est primordial! Coupez-les en rondelles de 1/2 cm (1/4 po) d'épaisseur et faites de même pour les tomates.

Recouvrez quatre assiettes des feuilles de laitue sur lesquelles vous déposerez en alternance les tranches de fromage et de tomates, en donnant une forme concentrique. Parsemez de feuilles de basilic ciselées, pour lui conserver tous ses arômes, et d'origan. Salez et poivrez. Arrosez d'un filet d'huile et de quelques gouttes de vinaigre et souriez avant d'attaquer la chose!

L'océane

Salade de crabe
à la façon cajun

500 g (1 lb) de crabe déchiqueté
(oubliez la goberge ou autre imitation)
quelques feuilles de laitue romaine
coupées en grosses lanières
2 ou 3 tomates fraîches pelées et
coupées en dés
3 ou 4 branches de céleri finement haché
375 ml (1 1/2 tasse) de vinaigrette cajun
4 grandes feuilles de laitue romaine
poivre du moulin au goût

Vinaigrette cajun
donne 750 ml (3 tasses)

1 œuf entier
2 jaunes d'œufs
375 ml (1 1/2 tasse) d'huile
8 ciboules hachées
125 ml (1/2 tasse) de sauce chili
1 c. à soupe de vinaigre blanc
1 c. à thé de sucre
1 c. à thé de poivre blanc
1 c. à thé d'ail haché
1 c. à thé de tabasco
3/4 c. à thé de poivre de Cayenne
1/2 c. à thé de sel
1/2 c. à thé d'épices cajun

Cette vinaigrette est très épicée. Alors si vous n'êtes pas d'humeur incendiaire, réduisez la quantité de Cayenne, mais ne supprimez pas le tabasco qui lui confère son parfum et son goût particulier.

Pour la vinaigrette, qui peut être préparée plusieurs jours à l'avance, ne soyez pas surpris par son aspect: elle a une consistance plus épaisse qu'à l'habitude.

Dans un robot culinaire, mélangez à vitesse moyenne l'œuf et les jaunes pendant 2 min. Versez graduellement l'huile en filet – comme pour monter une mayonnaise. Incorporez les autres ingrédients. Mélangez bien et conservez au frais jusqu'au moment de servir.

Dans un saladier, mélangez tous les ingrédients de la salade et assaisonnez avec la vinaigrette cajun.

Sur chaque assiette, déposez une grande feuille de romaine, garnissez avec la préparation assaisonnée, moulinez de poivre et servez. Il vous en reste, tant mieux vous prolongerez la gourmandise demain!

À titre de comparaison incendiaire, sachez que le jalapeño oscille entre 1500 et 3000 sur l'échelle Scoville, qui mesure le feu d'un piment au goût. Le poivre de Cayenne varie de 20 000 à 60 000 et le capsicum utilisé dans la sauce tabasco marque au bas mot 80 000 et peut atteindre 120 000 points. Estomacs fragiles s'abstenir!

Histoires de volatiles

Pour griller les volailles, il est préférable de choisir des pièces de viande qui ne sont pas trop volumineuses, car elles calcineraient lamentablement à l'extérieur avant de cuire à l'intérieur.

À moins d'être marinées, les volailles gagnent à être grillées avec la peau pour faire office d'écran entre le brasier et la chair. Mais avec le moins de gras possible pour éviter de fâcheuses flammes. À titre d'information, les articulations des volailles sont les parties les plus longues à cuire. C'est pour cette raison que l'on suggère souvent de percer le joint des os de poulet pour en vérifier la cuisson. Si le liquide qui en découle est clair, c'est que le poulet est cuit. Toutefois, cette technique s'applique plus à la cuisson d'un poulet entier. Encore une fois, il est plus sûr de vérifier la cuisson de la volaille en l'incisant pour s'assurer que la chair au centre est bien opaque.

Les herbes à retenir pour parfumer les volailles: le thym, le basilic, l'origan, le persil et le romarin.

Question pratique, la fameuse et redoutable salmonelle, la bactérie responsable d'une multitude d'intoxications alimentaires, est plus que jamais fringante les jours de grande chaleur. Soyez vigilants, ne laissez pas les volailles hors du réfrigérateur trop longtemps, tant crues que cuites, et nettoyez de façon rigoureuse les instruments utilisés afin de ne pas contaminer les autres aliments.

La coriandre fraîche est une herbe odorante au goût prononcé que l'on nomme parfois persil chinois. Elle foisonne toute l'année dans les marchés asiatiques. Les fruits secs issus de la plante, vendus moulus ou entiers comme des grains de poivre, sont à l'origine des confettis (qui nous vient de confiserie). Pendant la Deuxième Guerre mondiale, on recouvrait de sucre les graines de coriandre pour les lancer dans la foule depuis les chars de carnaval. C'est par souci d'économie qu'ils ont ensuite été substitués par de petits disques de papier.

Buffalo Bill

Ailes de poulet piquantes

1/2 piment sec broyé
1 c. à thé de gingembre moulu
1 c. à thé de cardamome moulue
2 c. à thé de coriandre en poudre
1 c. à soupe d'anis étoilé moulu
2 clous de girofle moulus
1 c. à thé de curcuma, 1 c. à thé de fenugrec
1 c. à thé de muscade, 1 c. à thé de cannelle
1 c. à thé de toute-épice
1/2 c. à thé de poivre de Cayenne
8 c. à soupe de paprika doux
1 c. à soupe de moutarde sèche
1 c. à soupe de poivre frais moulu
2 c. à soupe de sel
125 ml (1/2 tasse) de vin rouge
60 ml (1/4 tasse) d'eau
4 c. à soupe d'huile d'arachide
2 c. à soupe de zestes d'orange
16 ailes ou pilons de poulet
2 ou 3 citrons

Je vous en prie, ne vous laissez pas impressionner par la liste des ingrédients. Tout ça se trouve facilement, d'un seul coup, partout où l'on vend des épices. S'il en manque une, remplacez-la par une autre épice de votre choix ou doublez la quantité d'une autre qui vous plaît. Toutefois, n'omettez pas le sel et dosez bien le poivre de Cayenne, cet incendiaire!

Combinez toutes les épices et jetez-les dans une poêle antiadhésive pour les chauffer doucement 2 à 3 min. Remuez avec une spatule en bois jusqu'à ce que le mélange soit bien chaud. Attention, les vapeurs sont assez intenses.

Ajoutez le vin rouge et laissez cuire 2 ou 3 min en brassant constamment. Vous obtiendrez alors une pâte homogène. Retirez du feu et laissez refroidir.

Une fois le mélange refroidi, incorporez l'eau, l'huile et le zeste, remuez. La pâte prend alors l'allure de sable mouillé. Vérifiez l'assaisonnement en sel. Avec vos doigts, frottez les ailes ou les pilons avec cette mixture et laissez reposer au frais 2 h.

Sur un gril préchauffé, faites cuire à feu moyen et tournez les morceaux souvent pour que la cuisson soit uniforme. Vérifiez la cuisson en piquant le plus gros morceau dans sa partie la plus charnue. La chair doit être entièrement opaque, aucune trace de sang ne doit subsister.

Servez bien chaud sur un lit de laitue frisée avec des quartiers de citron frais.

C'est un plat parfumé «décontract» que l'on sert en amuse-gueule avec une bière fraîche et une tonne de serviettes de papier!

Ailes de poulet
piquantes

Le point sur les épices. Ce qu'on appelle la toute-épice (allspice)*, c'est le piment de la Jamaïque. À vrai dire, il ne s'agit nullement d'un piment, pas plus que de poivre. C'est une épice à part entière qui évoque le girofle et la muscade. Le quatre-épices, c'est un mélange français de 5 c. à thé de poivre noir, 2 c. à thé de muscade râpée, 1 c. à thé de clous de girofle et autant de gingembre moulu. Quant au cinq-épices, c'est un mélange chinois composé de 1 c. à soupe de graines de fenouil, autant d'anis et de faraga (poivre chinois), de 1 c. à thé de cannelle et d'autant de clous de girofle. Voilà!*

Les ailes du diable

Ailes de poulet épicées

1 c. à soupe de gingembre frais haché
1 c. à soupe de gingembre en poudre
1 c. à soupe de piment fort sec broyé
1 c. à soupe de coriandre en poudre
1 c. à soupe de poivre de Cayenne
2 c. à soupe d'huile
3 gousses d'ail dégermées et broyées
2 c. à soupe de zestes d'orange
2 c. à soupe de pâte de tomate
2 c. à soupe de sucre
3 c. à soupe d'huile de sésame
4 c. à soupe de sauce soya
1/2 c. à soupe de vinaigre de riz
2 c. à soupe de tabasco
2 c. à soupe de paprika
1 c. à soupe de cannelle
1 c. à soupe de toute-épice
16 ailes ou pilons de poulet

Une deuxième recette, aussi bonne que la précédente, pour satisfaire votre envie de volatile.

Faites chauffer 1 min le gingembre, le piment, la coriandre et le poivre de Cayenne dans l'huile. Ajoutez l'ail et le zeste d'orange, laissez cuire encore 1 min,

puis retirez du feu. Ajoutez le reste des ingrédients et laissez refroidir.

Dans un grand sac à fermoir hermétique, mêlez les ailes de poulet au mélange épicé, retirez l'air et rangez le sac dans le réfrigérateur pour toute la nuit.

Préchauffez le gril et posez les ailes à feu moyen en les retournant fréquemment avec des pinces pour leur permettre de cuire uniformément.

Les ailes piquantes en amuse-gueule font tout un tabac, je ne vous apprends rien. Une bonne blonde et tout va pour le mieux dans le meilleur des mondes!

Le poulet au rouge

Poulet au madère

4 poitrines de poulet

Marinade

250 ml (1 tasse) de sauce Teriyaki
125 ml (1/2 tasse) de madère
1 c. à thé de poivre blanc moulu
125 ml (1/2 tasse) de bouillon de poulet

Sauce

1/2 c. à soupe de sucre
1/2 c. à soupe de fécule de maïs
1/2 c. à soupe de moutarde de Dijon
1/2 c. à thé d'ail haché
1 c. à thé de vinaigre

Faites bouillir tous les ingrédients de la marinade pendant quelques minutes et laissez-la refroidir avant d'y plonger les poitrines pendant 1 h.

Égouttez les poitrines pour les faire griller en les badigeonnant souvent de marinade. Pendant ce temps, préparez la sauce en mélangeant dans une petite casserole à fond épais tous les ingrédients à 3 c. à soupe de marinade. Faites-la cuire sur un coin de la grille jusqu'à ce qu'elle épaississe.

Servez le poulet nappé de sauce avec des légumes grillés: aubergines, courgettes, champignons, poivrons, etc.

Grillée, la poulette

Brochettes de poulet au yogourt

1 kg (2 lb) de poitrine de poulet coupée en cubes
250 ml (1 tasse) de yogourt nature
125 ml (1/2 tasse) de jus de citron
1 gousse d'ail dégermée et broyée
quelques feuilles de menthe ciselées
sel et poivre du moulin

Des brochettes parfumées et tendres qui se préparent en criant: «Ciseaux».

Dans un saladier, mélangez tous les ingrédients et laissez-y mariner les cubes de poulet pendant 2 h au réfrigérateur.

Embrochez les cubes de poulet et, à feu moyen, faites griller les brochettes juste le temps qu'il faut pour que la viande soit cuite sans se dessécher.

Servez sur un lit de riz complet cuit dans du bouillon de poulet avec des petits oignons et des poireaux grillés ou des tranches de courgettes.

La salmonelle est la bactérie responsable d'une tonne d'empoisonnements célèbres... Il y a de meilleures façons de connaître la célébrité! Alors soyez vigilants. Ne laissez pas votre volaille décongeler à la température ambiante, mais toujours au réfrigérateur. Les ustensiles avec lesquels vous manipulez vos viandes doivent être fréquemment lavés pour éviter de communiquer la bactérie aux autres aliments. Sachez aussi que le temps de repos limite à température ambiante est de deux heures.

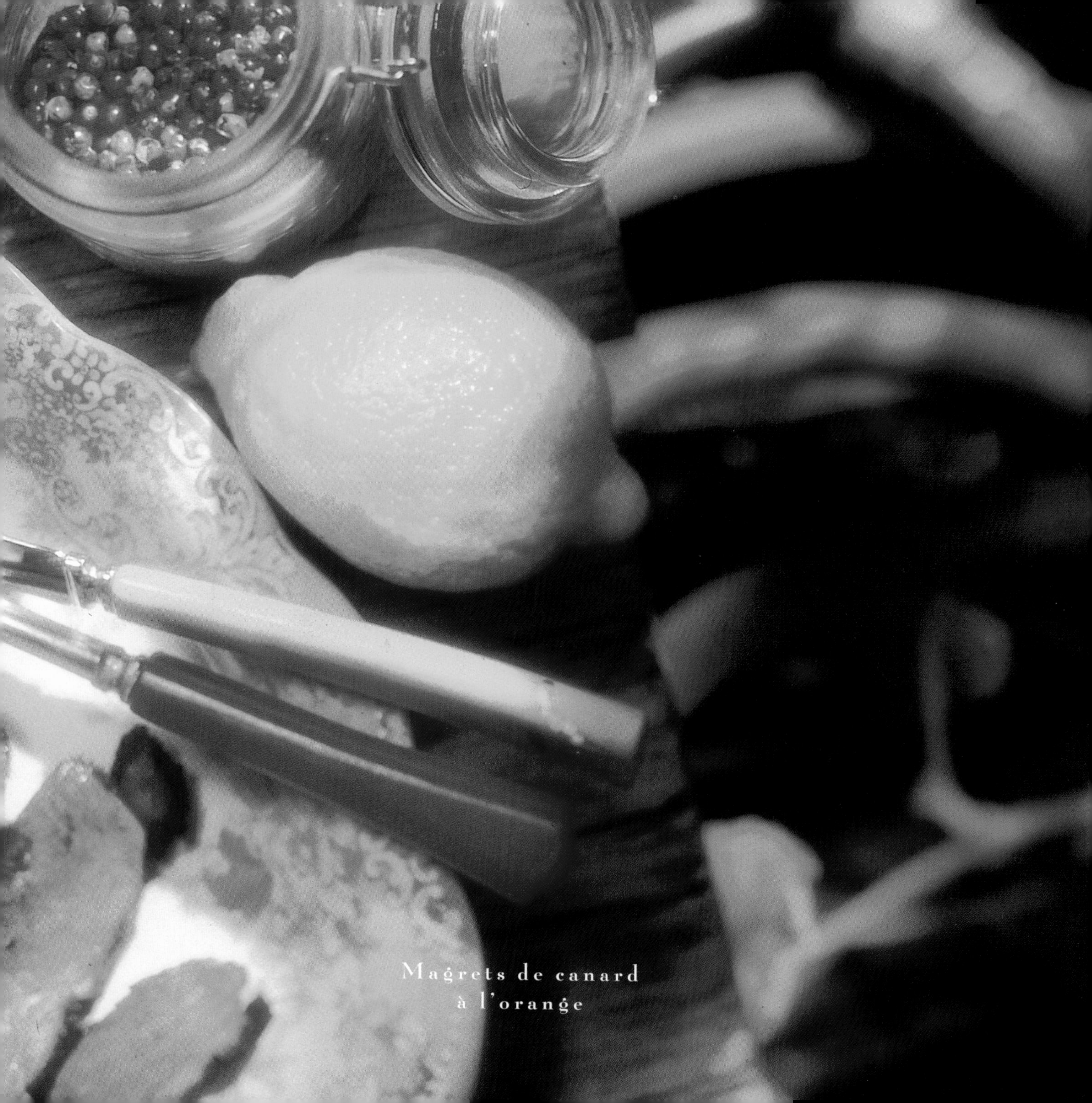

Magrets de canard
à l'orange

Pour ceux qui ont «oublié» de lire les pages d'introduction, je vous rappelle que les marinades à base d'ingrédients acides (tomates, agrumes, vin, vinaigres, etc.) ne doivent pas être préparées dans des contenants d'aluminium pour ne pas prendre un goût de métal. Préférez le verre, la porcelaine ou l'acier inoxydable, par exemple.

... et le canard de Michel

Magrets de canard à l'orange

2 gros ou 4 petits magrets de canard

Marinade

125 ml (1/2 tasse) d'huile
2 oranges pressées
1 c. à soupe de zestes d'orange
1 ou 2 gousses d'ail dégermées et broyées
1 c. à soupe de sauce soya
1/4 c. à thé de coriandre
1/4 c. à thé de gingembre frais
1 petite pincée de poivre de Cayenne

Avec un couteau tranchant, tailladez superficiellement le gras du magret en un joli quadrillage. Réservez.

Mélangez tous les ingrédients de la marinade et faites macérer les magrets au frais pendant 2 h.

Égouttez et épongez les magrets avant de les mettre à cuire sur la grille à feu vif pour bien les saisir, tout en les conservant rosés à l'intérieur.

Avant de servir, hors du feu, laissez reposer la viande 10 min, recouverte d'un papier d'aluminium en laissant circuler l'air pour permettre au sang de bien se distribuer.

Servez avec une brochette de petits oignons blancs grillés ou des légumes en papillote. Sortez de votre cave une bonne bouteille de rouge... et invitez-moi!

À tout seigneur tout honneur

Râbles de lapin au cari

8 râbles de lapin désossés
huile, sel et poivre du moulin

Sauce

250 ml (1 tasse) de crème à 35 %
2 c. à thé de bouillon de poulet concentré
1 gousse d'ail dégermée et hachée
2 c. à thé de cari en poudre
poivre au moulin

Huilez les râbles, salez-les et poivrez-les. À feu moyen, faites griller la viande en prenant soin de la tourner régulièrement et de la badigeonner d'huile constamment.

Dans une petite casserole antiadhésive, faites chauffer tous les ingrédients de la sauce.

Surtout ne salez pas: le concentré de poulet s'en charge! Veillez à ce que la sauce devienne onctueuse, sans toutefois trop épaissir. Nappez les râbles de sauce et servez avec le chutney Clémentine (voir page 30).

Râbles de lapin
au cari

Une fois cuites, les volailles gagnent à observer un temps de pause – un petit cinq minutes – avant d'être servies, pour permettre au jus de se répartir à l'intérieur de la pièce grillée. Il faut pour cela la couvrir d'un papier d'aluminium en laissant toutefois l'air circuler pour éviter la condensation. Le même principe régit la cuisson des viandes.

Les cailles de mon amie Louise

Cailles au sirop d'érable et à la menthe

8 à 12 cailles désossées
1/2 c. à thé d'huile
sel et poivre du moulin
60 ml (1/4 tasse) de vinaigre de vin blanc
60 ml (1/4 tasse) de sirop d'érable
2 branches de menthe fraîche
quelques feuilles de laitue

Louise Duhamel est celle qui a «pondu» ce délice de petits oiseaux parfumés au sirop d'érable.

Demandez à votre boucher de belles cailles bien dodues. Deux par personne en entrée, une de plus en plat principal.

Si elles sont petites, prenez-en quelques-unes de plus et grillez-les entières.

Disons que les vôtres sont grosses, donc fendez-les en deux et glissez-les côte à côte sur une brochette. Enduisez-les d'un soupçon d'huile pour les empêcher d'adhérer à la grille. Vous les assaisonnerez de sel et de poivre juste avant de les poser sur la grille.

Dans une petite casserole, portez le vinaigre, le sirop d'érable et les feuilles de menthe ciselées à ébullition, puis retirez du feu.

Posez les cailles, côté poitrine, sur la grille préchauffée à feu vif et badigeonnez-les de marinade fréquemment pendant la cuisson. Elles devraient cuire de 3 à 5 min de chaque côté.

Elles sont cuites? Posez-les sur un plat de service garni de feuilles de laitue et arrosez-les avec la vinaigrette chaude.

Nous les avons servies avec des lanières de poivrons jaunes rôtis, pelés et épépinés. Un riz sauvage leur ferait également honneur. À moins que vous ne lui préfériez la polenta?

Brochettes de
poulet au yogourt

Sur les charbons ardents

Lors de la cuisson, le jus de la viande se concentre près des os. Autant que possible, conservez les os des viandes rouges, la chair qui les entoure étant plus tendre et savoureuse. Par conséquent, un «T-bone» ou un carré d'agneau réussiront mieux sur le gril qu'un filet de bœuf, par exemple. Utilisez une pince plutôt qu'une fourchette pour manipuler les viandes afin d'éviter que le sang ne s'échappe et ne les assèche.

Quelques trucs pour juger de la cuisson. Les viandes rouges se raffermissent en cuisant. Les «pros» déterminent le degré de cuisson en exerçant une pression du doigt sur le morceau de viande (voir page 14) et ils mesurent ainsi son élasticité. Grâce à cette méthode, ils évitent de percer la viande qui perdrait alors de son précieux sang. Si vous en êtes là, passez à la page suivante, je n'ai plus rien à vous dire! Si ce principe vous semble hasardeux, entaillez plutôt la viande afin de vérifier la cuisson à l'intérieur et poursuivez la lecture.

Souvenez-vous toutefois que la cuisson au gril concentre le sang au centre de la pièce de viande et la fait paraître plus saignante. Autrement dit, une viande qui semble plus saignante au-dessus des braises est plutôt «medium» et une qui a l'air «medium» sera bien cuite dans votre assiette. Une fois retirée du feu, laissez-la reposer une minute ou deux et le sang se dispersera uniformément.

Autre chose: n'oubliez pas que la cuisson se poursuit un petit peu après avoir retiré votre aliment du feu!

Brochettes
de bœuf fajitas
sur tortillas

Mexicaines basanées

Brochettes de bœuf fajitas sur tortillas

500 g (1 lb) de steak de flanc ou de bavette
1 paquet de tortillas souples
2 poivrons verts coupés en lanières
2 gros oignons tranchés en rondelles
huile
125 ml (1/2 tasse) de crème sure
guacamole (facultatif)

Marinade
6 limes pressées
8 c. à soupe d'huile
2 c. à soupe de coriandre hachée
4 gousses d'ail dégermées et hachées

Mélangez tous les ingrédients de la marinade pour y faire macérer la viande 2 h. Pas plus, sinon le jus de lime cuit la chair qui devient grisâtre. Tranchez le flanc à contresens des fibres de la viande et embrochez-le en serpentins sur une tige de bambou. Sur la grille très chaude, faites saisir la viande que vous aurez le bon goût de servir saignante.

Présentez sur des tortillas souples, avec les lanières de poivrons et les rondelles d'oignons revenues à la poêle dans un peu d'huile. Accompagnez de crème sure, de guacamole (une purée d'avocat citronnée) et de salsa à l'ananas (voir page 29).

Mignon, Mignon

Brochettes de filet mignon et d'artichauts

750 g (1 1/2 lb) de filet mignon
12 petites tomates cerises
8 fonds d'artichauts frais précuits
ou en boîte bien égouttés

Marinade
60 ml (1/4 tasse) d'huile
3 ciboules émincées
2 c. à soupe de moutarde de Dijon
1 c. à soupe de poivre rose broyé

Découpez le filet mignon en cubes de 4 cm (1 1/2 po). Mélangez les ingrédients de la marinade et laissez-y macérer la viande et les artichauts pendant 2 h au frais.

Embrochez les cubes de viande, en les alternant avec les légumes, et grillez à température élevée. Pendant la cuisson, arrosez fréquemment les brochettes de marinade. Servez avec l'aïoli (voir page 27).

Le guacamole est aux Mexicains ce que les pâtes sont aux Italiens. C'est frais, différent, ça se grignote aussi vite que ça se fait. Allez...
Plongez une tomate 1 min dans l'eau bouillante, pelez-la, épépinez-la.
Dans un mélangeur, vous mettez la tomate, la chair de 4 avocats arrosée de jus de citron et 1 oignon coupé grossièrement.
Actionnez l'appareil, ajoutez un filet d'huile, un trait de tabasco et du sel.
Servez bien frais avec des nachos et une salsa piquante.

Un mot sur le romarin, cet indissociable compagnon de l'agneau. Une légende perdure quant à la petite fleur bleutée de la plante aromatique. C'est qu'elles étaient blanches les fleurs avant que Marie (sainte Marie pleine de grâce) eut couché son petit Jésus sur un lit de romarin, pour ensuite le couvrir de sa mante bleue. Ce qui eut pour effet de teinter les fleurs à jamais...

Déjeuner sur l'herbe

Brochettes d'agneau aux herbes

750 g (1 1/2 lb) d'épaule d'agneau en cubes
16 petits oignons
16 champignons de Paris
2 petites courgettes
3 poivrons verts moyens
16 tomates cerises
3 c. à soupe de beurre
2 citrons

Marinade

375 ml (1 1/2 tasse) d'huile de votre choix
250 ml (1 tasse) de jus de citron frais
2 c. à thé de sel
poivre du moulin
1 petit oignon finement haché
1 gousse d'ail dégermée et broyée
1 c. à soupe d'origan frais
1/2 c. à thé de thym frais

Mélangez tous les ingrédients de la marinade et y faire baigner l'agneau au réfrigérateur pendant 2 h.

Conservez les tomates cerises au réfrigérateur jusqu'au moment de les embrocher pour leur permettre de cuire moins rapidement.

Coupez les poivrons en lanières assez larges et faites-les blanchir avec les oignons à l'eau bouillante pendant 1 min, égouttez et laissez refroidir.

Coupez les courgettes non pelées en tronçons de 2,5 cm (1 po) environ. Ajoutez-les à la marinade avec l'agneau, les champignons et les poivrons.

Montez les brochettes en alternant les ingrédients. Mettez-les à cuire sur le gril à feu vif, couvercle relevé.

Vous choisirez peut-être de servir ces brochettes avec l'orge perlé aux champignons (voir page 103).

Le hamburger royal

ou le bison futé...

600 g (1 1/4 lb) de viande hachée de bœuf ou de bison
125 g (4 oz) de fromage d'Oka coupé en 4 cubes
4 c. à soupe de vinaigre balsamique
1 poivron rouge coupé en lanières
1 poivron vert coupé en lanières
1 petit oignon rouge émincé
huile
4 petits pains Kayser

Formez 4 hamburgers en enrobant de viande chaque morceau de fromage. Faites cuire à feu vif pendant 4 min ou plus de chaque côté. Mouillez avec le vinaigre 1 min avant la fin de la cuisson.

Dans un petit poêlon, faites revenir les poivrons et l'oignon dans un peu d'huile.

Servez les hamburgers avec les légumes entre 2 tranches de pain grillées.

« L'autre »... burger

Burger au gingembre et basilic

1 kg (2 lb) de bœuf haché maigre
2 c. à soupe généreuses de gingembre finement haché
2 c. à soupe de sauce Worcestershire
poivre frais du moulin
tabasco ou harissa au goût
1 poignée de feuilles de basilic hachées

Mélangez tous les ingrédients pour en faire une seule mixture que vous façonnerez en 4 galettes. N'ajoutez pas de sel, la sauce Worcestershire s'en occupe. Pour varier, remplacez le gingembre par 2 c. à soupe de câpres.

Garnissez de cornichons, de tomates, de fromage, enfin, de ce qui vous chante ce jour-là.

Insolite...
Le 21 juin 1988, 35 072 personnes se sont réunies à Des Moines, dans l'État de l'Iowa, pour avaler en cinq heures 9130 kg de porc cuit au barbecue. À Port Richey, en Floride, le même sort avait été réservé à 9576 kg de bœuf le 7 mars 1986.

(Dixit Le Guinness des records 1995*)*

Le hamburger
royal

«[...] Qui s'étonnera qu'une viande "rouge" soit cuite "bleue" tandis qu'une viande blanche doive se servir "rose"? Des goûts et des couleurs, il ne faut pas disputer, affirme le proverbe à juste titre et il n'y a rien d'hérétique à aimer un poisson un peu rose ou un steak bien cuit, même si ça chahute un peu l'usage courant.»

Extrait du livre de Patrice Dard, Le Barbecue, *paru aux Éditions de l'Homme.*

Dites Ahhhh!

Côtelettes d'agneau à la menthe fraîche

12 à 16 petites côtelettes d'agneau épaisses
1 paquet de menthe fraîche
125 ml (1/2 tasse) d'huile
2 c. à thé de moutarde sèche
2 citrons pressés
quelques grains de poivre rose

Posez les côtelettes sur un grand plat. Lavez la menthe, conservez quelques poignées de feuilles et hachez le reste. Parsemez bien la viande de menthe hachée puis recouvrez avec l'huile, le jus de citron, la moutarde et le poivre. Laissez macérer au réfrigérateur pendant 2 h.

Dès que les charbons sont ardents, jetez dessus une poignée de feuilles de menthe pour parfumer les côtelettes. Faites griller les côtelettes 3 min de chaque côté, ou selon le goût, en les badigeonnant de marinade en cours de cuisson. Il est préférable de ne pas trop faire cuire l'agneau et de le servir rosé.

Accompagnez d'une purée de pommes de terre rehaussée de 2 gousses d'ail blanchies, dégermées et broyées. Décorez de feuilles de menthe fraîches.

Apportez le nectar!

Côtes levées à l'abricot et au cari

2 kg (4 lb) de côtes levées de porc
2 c. à soupe d'huile
2 gousses d'ail dégermées et broyées
2 oignons moyens émincés
2 c. à soupe de cari piquant
375 ml (1 1/2 tasse) de nectar d'abricot non dilué
85 ml (1/3 tasse) de miel
125 ml (1/2 tasse) de vinaigre de cidre
pâte de piment au goût
sel

Pour obtenir des côtes levées tendres, il y a un secret. Il faut d'abord les faire bouillir 15 min avec du sel, du poivre et un oignon, avant de les préparer pour le gril.

Dans une petite casserole, faites chauffer l'huile à feu moyen et jetez-y l'ail et les oignons jusqu'à ce qu'ils prennent une teinte dorée. À ce moment-là, ajoutez le cari et attendez quelques instants que le mélange s'imprègne bien de l'épice avant de verser le reste des ingrédients. Salez au goût.

Remuez le tout et laissez mijoter à feu doux un bon 10 min, en prenant soin de souvent racler le fond de la casserole.

Pour réussir les côtes levées, il est préférable de les saisir puis de les cuire à feu modéré en les posant sur la grille la plus haute.

Armez-vous d'un petit balai, parce que là, on badigeonne! Puisque la température du gril est peu élevée, il vous faudra de 15 à 20 min de cuisson de chaque côté, peut-être plus. Tournez-les souvent, enduisez-les de marinade chaque fois. Servez lorsque les côtes levées seront d'une belle couleur ambrée et bien tendres à l'intérieur.

L'agneau, au carré!

Carré d'agneau à l'orientale

4 carrés d'agneau

Sauce

3 c. à soupe de sauce Teriyaki
1 gousse d'ail dégermée et émincée
1/2 c. à thé de gingembre frais haché
1 c. à soupe de marmelade
3 c. à soupe de jus d'orange concentré congelé
1 c. à soupe de sirop d'érable
zestes d'orange ou de citron
sel et poivre du moulin

Qu'on s'entende bien: le carré d'agneau est la pièce de viande qui constitue les côtes de l'animal. Il faut, pour cette recette, conserver le morceau entier que l'on découpera au moment de servir.

Parez les carrés d'agneau en prenant soin de retirer l'excédent de gras. Demandez à votre boucher de préparer le carré pour la découpe. Recouvrez le bout des os avec du papier d'aluminium sans toutefois trop les serrer et saisir à feu vif les carrés badigeonnés de sauce. Abaissez la température de votre barbecue, fermez le couvercle et continuez la cuisson pour obtenir une viande saignante.

Laissez l'agneau reposer 15 min sous un papier d'aluminium pour lui conserver sa chaleur. Découpez en côtelettes et servez, si le cœur vous en dit, avec de la polenta grillée (voir page 100).

Le plus gros hamburger? 2,5 tonnes et 6,4 m de diamètre... C'est à Outgamie Country Fairgrounds, dans le Wisconsin, qu'il fut fabriqué le 5 août 1989. L'histoire ne dit pas ce qu'on en a fait après!

Côtelettes de porc,
moutarde
à l'ancienne

En avant la moutarde!

Côtelettes de porc, moutarde à l'ancienne

4 c. à soupe de moutarde à l'ancienne
2 gousses d'ail dégermées et broyées
4 c. à soupe de chapelure italienne
2 c. à soupe d'huile
1 c. à thé de thym frais
1 c. à thé de poivre du moulin
4 côtelettes de porc de 2,5 cm (1 po) d'épaisseur

Mélangez la moutarde, l'ail, la chapelure, l'huile et le thym. Poivrez.
Enduisez les côtelettes de ce mélange et laissez reposer 2 h au réfrigérateur.

Grillez à feu vif les côtelettes, que vous accompagnerez de beurre à l'ail et à la ciboule (voir page 28).

Les pommes de terre sucrées (patates douces) grillées font merveille avec les côtelettes comme avec plusieurs plats de grillades d'ailleurs. On les oublie trop souvent ces petites bombes de vitamine A.

L'étranger

«Boston broil»

1 1/2 kg (3 lb) de surlonge de bœuf (boston) de 6 cm (2 1/2 po) d'épaisseur
quelques brins d'herbes aromatiques fraîches (basilic, thym, marjolaine, romarin, etc.)
4 c. à soupe de vinaigre balsamique
4 c. à soupe de vin rouge (un Bordeaux)
2 c. à soupe d'ail dégermé et broyé
2 c. à soupe d'huile d'olive
1 grosse tomate fraîche hachée
1 citron pressé

À la classique «sauce BBQ» (voir page 24), ajoutez tous les autres ingrédients et faites-y macérer la pièce de viande entière pendant 1 h à température ambiante.

Tailladez un côté de la viande de manière à dessiner un quadrillage et ainsi permettre à la chaleur de pénétrer au cœur du morceau. À feu vif, faites saisir la viande côté lisse, puis côté quadrillé. Fermez le couvercle de l'appareil et laissez cuire à 180 °C (350 °F) pendant 10 à 15 min de chaque côté. Arrêtez la cuisson et laissez la viande reposer sur la grille de 10 à 15 min pour que le jus et le sang se répartissent uniformément. Découpez des tranches contre le grain et accompagnez de la marinade. Servez avec des pommes de terre en papillote ou des épis de maïs grillés (voir page 49).

Une dernière sur les États... En 1986, seulement aux États-Unis, la saucisse de Francfort, communément appelée saucisse à hot-dog, a été ingérée au nombre de 19 milliards! Le hot-dog – qui se compose d'à peu près n'importe quelle partie d'un animal – est une invention américaine qui date du début du siècle. On prétend que la tendance s'infiltre dangereusement chez les francophones que nous sommes... Voyons!

Carré d'agneau
à l'orientale

Je fais ici amende honorable au veau que j'ai substitué un jour par des pâtes fumantes arrosées généreusement de la sauce au gorgonzola intégrale… et je n'ai rien regretté!

Amande honorable

Côtes de veau aux amandes et au gorgonzola

4 côtes de veau de lait ou de grain de 2,5 cm (1 po) d'épaisseur
sel et poivre
60 g (1/2 tasse) d'amandes finement moulues

Sauce

1 poivron rouge coupé en petits dés
2 ciboules hachées
1 c. à thé d'ail dégermé et broyé
1 tomate moyenne pelée, épépinée et coupée en dés
huile
2 c. à soupe de vin blanc sec
250 ml (1 tasse) de crème à 35 %
125 g (4 oz) de gorgonzola

Commencez par préparer la sauce pour lui donner le temps d'épaissir pendant que les côtes grilleront. On peut aisément la monter en cuisine et la conserver dans un thermos pendant quelques heures.

Dans une petite casserole à fond épais posée sur la grille, faites rissoler 2 min environ le poivron, la ciboule, l'ail et la tomate dans un peu d'huile.

Mouillez avec le vin et laissez réduire de moitié avant d'ajouter la crème. Laissez un peu épaissir puis incorporez le fromage. Salez et poivrez les côtes puis roulez-les dans les amandes moulues avant de les faire griller 5 min de chaque côté à feu moyen. Cette viande devrait être servie rosée.

Le veau plus ultra

Filets de veau grillés aux framboises

4 filets de veau de 200 g (7 oz) chacun

Marinade

125 ml (1/2 tasse) de framboises congelées
125 ml (1/2 tasse) de vinaigre de framboise
2 gousses d'ail dégermées et broyées
1 petit oignon finement haché
3 c. à soupe de basilic frais ciselé
poivre du moulin au goût
85 ml (1/3 tasse) d'huile d'olive
zestes de 1/2 orange

Mélangez bien tous les ingrédients et y faire mariner les filets de veau pendant 2 h au réfrigérateur. Préchauffez la grille du barbecue à feu moyen et déposez les filets de veau à griller jusqu'à ce qu'ils soient légèrement rosés à l'intérieur. Badigeonnez fréquemment de marinade pendant la cuisson.

Filet de veau grillé
aux framboises

Voyage au fond des mers

Comme ils sont plus friables, tous les poissons ne supportent pas la cuisson du gril. C'est le cas de la morue et de la truite qui se détachent trop facilement. De manière générale, les poissons qui ont beaucoup d'arêtes se prêtent moins bien à ce type de cuisson parce qu'ils sont souvent levés en filets. Par contre, certains poissons et fruits de mer tirent grand profit d'un feu vif et d'une cuisson brève: le rouget, l'espadon, le saumon, les calmars, les grosses crevettes et le homard.

Premier impératif: un poissonnier de confiance qui connaît vos habitudes d'achat et dont l'approvisionnement est d'une fraîcheur exemplaire. Il est aussi primordial d'utiliser une grille parfaitement propre et, si nécessaire, de la huiler ou de la vaporiser d'une pellicule antiadhésive (Pam). D'abord pour que le goût des aliments précédents n'interfère pas avec la saveur délicate des poissons et, vous l'avez deviné, pour éviter que leur chair adhère au métal. Le meilleur moyen d'empêcher le poisson de coller est de le poser sur une grille très chaude. En revanche, le poisson supporte mal la grosse chaleur. Alors faites chauffer la grille près des flammes et remontez-la tout de suite avant cuisson.

Si vous enduisez d'huile votre poisson, faites-le avec parcimonie parce qu'un excès risque de provoquer de fâcheuses et dévastatrices flammes. Tailladez les gros poissons pour accélérer la cuisson et tournez-les à mi-cuisson.

Pour vérifier la fraîcheur d'un poisson à l'achat, voici les points à vérifier: des ouïes rougeâtres et humides; des yeux pleins et brillants; une peau luisante et bien tendue qui recouvre la chair ferme du poisson et ne laisse pas d'empreinte sous la pression d'un doigt. Abstenez-vous également d'acheter un poisson dont les écailles collent entre elles ou qui a le ventre gonflé.

Autre chose, manipulez vos poissons le moins possible: laissez-les au moins 2 ou 3 min dans leur position initiale pour permettre à la peau de durcir suffisamment avant de les retourner. Il est souhaitable de ne pas écailler un poisson avant de le griller, les écailles formant un écran qui protège sa chair et qui l'empêche de carboniser. Certains ne jurent que par la cuisson à travers une grille double conçue pour griller le poisson sans avoir à le manipuler.

Pour vérifier la cuisson, je vous suggère de l'entailler et de le courber pour mieux voir l'intérieur. La chair d'un poisson cuit passe de transparent à opaque.

Quant aux fruits de mer, ils ne devraient présenter aucune trace de chair translucide après cuisson. Ne les cuisez pas trop non plus à l'extérieur pour obtenir la bonne cuisson à l'intérieur.

Quelques exceptions gagnent à être goûtées alors que la chair est encore légèrement translucide au centre. Par exemple, le thon de qualité sashimi, et à condition d'être sûr de la fiabilité de votre poissonnier – qui n'a pas avantage à vous berner sur la fraîcheur de ses produits de la pêche. Rappelez-vous qu'il ne faut pas prendre de chance avec le poisson, demeurez vigilants.

Unilatéralement saumon

Saumon au fenouil frais

4 beaux filets de saumon avec leur peau
sel et poivre du moulin
1 botte de feuilles de fenouil
(extrémités poilues du bulbe)

Sauce

2 c. à soupe de beurre
2 citrons
2 c. à soupe de feuilles de fenouil hachées
1/4 c. à thé de paprika
1 pincée de poivre de Cayenne
sel et poivre

L'intérêt de cette recette, vous l'aurez deviné, réside dans son mode de cuisson particulier qui lui confère un doux parfum anisé. Le parfum des herbes prisonnières au-dessus de la flamme est délicieusement capté par la chair du poisson qui garde son moelleux et son caractère. La sauce est accessoire et peut fort bien être oubliée ou remplacée par un beurre aromatisé.

Commencez par saler et poivrer les filets de saumon que vous réserverez. Posez les feuilles de fenouil sur la grille préchauffée de manière à faire un lit pour le poisson.

Saumon
au fenouil frais

Quand le Roi-Soleil se faisait servir à Versailles, les plats n'en finissaient pas de trôner. Et, dès que le soleil pointait justement ses premiers rayons printaniers, il exigeait des concombres maraîchers. Il raffolait des cucurbitacées!

Faites cuire le saumon en prenant soin de déposer le côté peau sur le fenouil, le temps qu'il faut pour qu'il cuise sans le retourner.

Dans une petite casserole à fond épais, faites fondre le beurre, ajoutez le jus des citrons, les feuilles de fenouil, le paprika et le poivre de Cayenne. Salez et poivrez légèrement. Nappez les filets de cette sauce et accompagnez, si le cœur vous en dit, d'un gratin de pommes de terre.

Le saumon à la Louis XIV

Saumon au concombre et à la crème sure

---

4 darnes de saumon frais de 3 cm (1 1/4 po) d'épaisseur
250 ml (1 tasse) de crème sure
1 trait de pâte de piment (harissa)
1 petit concombre non pelé coupé en petits dés
sel
1 c. à soupe de fenouil ou d'aneth frais haché
4 c. à soupe de beurre fondu
1 lime ou 1 citron pressé
1 lime ou 1 citron coupé en fines rondelles

Les beaux esprits se rencontrent pour convenir de la longueur d'avance du saumon de l'Atlantique, comparée à son rouge cousin de la côte du Pacifique. Plus cher. C'est sûr. Mais bon...

Dans un bol moyen, mélangez la crème sure et un peu de pâte de piment. Incorporez au mélange les concombres en morceaux, le sel et l'aneth. Réservez.

Dans un autre bol, combinez le beurre fondu à la lime pimentée d'un peu de harissa ou de tabasco.

Sur feu vif, posez les darnes sur la grille préalablement huilée et aspergez régulièrement de beurre à la lime. Grillez jusqu'à ce que la chair devienne opaque.

Garnissez de rondelles de citron et accompagnez de la sauce à la crème sure.

Doré comme ... aux Antilles

Doré à l'antillaise

1 kg (2 lb) de filets de doré
branches d'herbes aromatiques
(estragon, fenouil, etc.)

Marinade
1 poivron rouge coupé en dés
125 ml (1/2 tasse) d'huile
1 lime pressée
1 c. à soupe de persil haché
1 c. à thé de piment frais haché
(jalapeño ou autre)
1 gousse d'ail dégermée
et broyée
sel et poivre du moulin

Faites macérer les filets de doré 1 h au réfrigérateur dans la marinade. Égouttez-les et réservez la marinade.

Faites cuire les filets sur la grille très chaude pendant, disons, 3 min de chaque côté.

Dans un robot culinaire, émulsionnez tous les ingrédients de la marinade que vous servirez avec le poisson grillé. Le doré se marie bien avec des haricots verts et des patates douces grillées en tranches.

Il faut surtout le goûter accompagné de salsa à l'oignon rouge et à la mangue... c'est encore mieux! (Voir page 29.)

Cette marinade convient également à d'autres poissons à chair ferme, mais aussi aux pétoncles et crevettes.

Le doré est un poisson à chair ferme et savoureuse qui prend ses aises dans les eaux fraîches des lacs et des grandes rivières. Deux espèces s'offrent à nous: le doré noir et le doré jaune qui sont souvent confondus avec le brochet. La chair du doré jaune, plus ferme et délicate, est à son meilleur lorsque le poisson est encore jeune, plus petit donc.

Le petonculus,
ou petit peigne,
est un mollusque
bivalve qui a du
cœur au ventre.
Niché dans une
coquille qui rappelle
la Saint-Jacques,
il vagabonde au gré
de sa fantaisie,
se propulsant grâce
à son muscle
adducteur qui ouvre
et ferme sa coquille.
En Charente,
la dégustation
du pétoncle se fait
sur une plaque
posée sur un feu
de bois, où l'on fait
ouvrir le coquillage
qui est à point
lorsqu'il a «craché»
toute son eau.
Une belle tranche
de pain
de campagne
avec du beurre salé
et un vin blanc
bien sec
accompagnent
ce festin marin.

St-Raphaël, bénissez ce plat!

Thon mariné au St-Raphaël

1 kg (2 lb) de thon frais coupé en 4 darnes de 3 cm (1 1/4 po) d'épaisseur, sans la peau

Marinade

125 ml (1/2 tasse) de St-Raphaël rouge
2 c. à soupe d'huile
1 oignon émincé
1 gousse d'ail dégermée et broyée
quelques branches de persil frais hachées
1 feuille de laurier
1 citron pressé
sel et poivre du moulin

Le thon étant un poisson goûteux, nul n'est besoin de préparation extravagante pour en rehausser le goût. Un seul impératif: du thon d'une fraîcheur exemplaire, en darnes assez épaisses pour en apprécier la saveur, que vous accompagnerez d'un beurre persillé à la lime (voir page 28). L'espadon se prête également bien à cette recette.

Préparez une marinade avec les ingrédients et faites-y baigner le poisson au réfrigérateur 1 h en le retournant souvent.

Pour une cuisson moelleuse, à feu moyen, faites griller le thon de chaque côté en le badigeonnant régulièrement de marinade. Prenez garde de le trop cuire, sa chair est trop précieuse pour la laisser se dessécher.

Le festival des petits peignes

Brochettes de pétoncles à la lime

28 gros pétoncles frais
huile
poivre du moulin
1/2 c. à thé de gros sel
quelques feuilles de basilic frais ciselé

Préparez d'abord la sauce chaude à la lime (voir page 35) et conservez-la dans un thermos.

Embrochez les pétoncles à raison de 7 pétoncles par brochette. Huilez-les légèrement et poivrez-les. À feu moyen, faites griller les brochettes de 3 à 4 min en les tournant souvent. Ne les laissez pas trop cuire, car les pétoncles perdraient leur «moelleux».

Nappez les assiettes de sauce, déposez les brochettes, salez au gros sel et garnissez de basilic. Servez avec du riz basmati.

Salade tiède
de calmars grillés

Les encornets de l'ami Ha

Salade tiède de calmars grillés

4 calmars de 100 g (3 oz) chacun
2 pamplemousses roses
1 botte de cresson

Marinade

1 c. à thé de nuoc-mâm (saumure de poissons)
1 gousse d'ail dégermée et broyée
1 petite pincée de cinq-épices (facultatif)
2 c. à soupe d'huile végétale

Sauce

170 ml (2/3 tasse) d'eau
3 c. à soupe de nuoc-mâm
2 c. à soupe de vinaigre blanc
2 c. à soupe de sucre
1 gousse d'ail dégermée et broyée
1 piment oiseau (le minuscule piment)
1/4 de lime pressée

Les encornets, ce sont des calmars. Et l'ami Ha, c'est notre «Souvenir d'Indochine», le havre des amoureux de l'Orient. Ses encornets gorgés de parfums, associés à la fraîcheur de fruits mi-amers, devraient réconcilier les plus intraitables ennemis des trésors de l'océan.

Pour les cuisiner, il faut commencer par nettoyer les calmars à l'eau froide en prenant soin de retirer la peau, les chairs intérieures et l'os unique qui se dresse tout le long de l'animal pour ainsi laisser le corps vide.

Ouvrez les calmars dans le sens de la longueur, placez-les à plat et entaillez superficiellement l'intérieur de manière à former un quadrillage qui soulèvera de jolis losanges à la cuisson. Préparez la marinade, en mélangeant tous les ingrédients, pour y tremper les calmars de 15 à 30 min, pas plus.

Pendant ce temps, levez les quartiers de pamplemousses en procédant avec un petit couteau bien tranchant, retirez la pelure des fruits de même que la pulpe blanche qui se trouve dessous. En plaçant le fruit sur une planche à découper, passez la lame du couteau de chaque côté des membranes qui séparent la pulpe du pamplemousse. Réservez.

Faites aussi la sauce avec tous les ingrédients et réservez-la. Prêts à griller? Placez les calmars, côté non quadrillé, sur la grille très chaude pendant 3 min. Tournez et cuisez l'autre côté à peine plus longtemps. Poursuivez la cuisson à feu doux en les éloignant des braises jusqu'à ce que la chair soit opaque. Coupez les encornets en rondelles de 1/2 cm (1/4 po), disposez au centre d'un lit de cresson parsemé de quartiers de pamplemousses. Arrosez de sauce. Hummm...

Homard contre langouste...
Le premier, vous le connaissez et appréciez probablement sa queue dodue et ses pinces charnues.
La langouste a une carapace plus piquante et des crochets qui tiennent lieu de pinces.
Elle vit dans des eaux plus chaudes que le homard, par conséquent, elle est plus souvent apprêtée dans des préparations à saveur tropicale.
La langoustine, que l'on appelle aussi scampi, est une variété de langouste plus petite.
Elle mesure, au plus, 24 cm (10 po) de long, sans compter les pinces.

Pour obtenir le meilleur rapport qualité-prix lorsque vous achetez des crevettes à embrocher, préférez les crevettes crues, sans tête, non décortiquées; ce sont les moins chères pour ce que vous voulez en faire. Choisissez-les assez grosses pour qu'elles soient faciles à peler, c'est-à-dire celles qui correspondent à 16 /20 crevettes par livre. Comme les crevettes congelées ne souffrent pas outre mesure de ce procédé de conservation, elles peuvent se révéler un bon achat.

Bouquet de crevettes

Brochettes de crevettes sur riz sauvage

32 grosses crevettes décortiquées
1 gros oignon
1 gros poivron jaune
1 gros poivron vert
16 champignons de grosseur moyenne
4 tomates moyennes

Marinade

2 gousses d'ail dégermées et broyées
2 c. à soupe de lait de coco
1 c. à thé de jus de citron
1 c. à soupe de cerfeuil haché finement
poivre de Cayenne au goût (facultatif)

Coupez l'oignon en gros morceaux, les poivrons en gros morceaux et les tomates en quartiers.

Mélangez tous les ingrédients de la marinade et plongez-y les crevettes et les légumes. Laissez mariner 1 h au réfrigérateur.

Embrochez sur des bâtonnets de bois que vous aurez pris soin de faire tremper dans l'eau pendant 1 h au moins pour les empêcher de brûler.

Pendant que j'y suis, parlons brochettes. Les brochettes métalliques présentent une difficulté de manipulation. Si elles ne sont pas aplaties sur l'une des faces, les morceaux embrochés roulent sur eux-mêmes et il est difficile d'obtenir une cuisson uniforme. De plus, comme le métal est conducteur de chaleur, elles cuisent le centre des aliments, ce qui n'est pas nécessairement une bonne affaire. Voilà pourquoi on conseille d'utiliser des brochettes de bois ou, encore mieux, de bambou: elles brûlent moins facilement.

Il est temps de poser les brochettes de crevettes sur la grille bien chaude de votre barbecue. Laissez-les griller en les retournant de temps en temps, jusqu'à ce que la chair devienne opaque.

En guise de sauce, faites chauffer la marinade, mais prenez garde: le poivre de Cayenne prend ses aises à la chaleur!

Servez sur un riz sauvage ou sur votre couscous préféré.

Je vois rouge...

Homard grillé

Le homard se suffit à lui-même sur le gril. Coupez-le en deux, couchez-le sur la grille bien chaude, carapace en dessous. Lorsqu'il est presque cuit, retournez-le pour griller la chair quelques minutes. À la limite un aïoli, ou une gribiche, voilà tout (voir pages 27 et 35).

Brochettes
de crevettes
sur riz sauvage

Ail
en chemise

Les bons compagnons

Je vais vous raconter une histoire. Elle commence au milieu, parce que c'est comme ça. Ce serait trop long. Cinq mille ans avant notre ère!

En 1560 donc, une pomme de terre, une première, a mis «le pied» en Italie. C'est le roi Philippe II qui l'avait dans sa poche pour en faire cadeau au pape en vue de soigner sa goutte. La plante potagère a fini par gagner les jardins français et a acquis, au XVIIIe siècle, une réputation peu enviable. On disait de la pomme de terre que, loin de soigner la goutte, elle provoquait au contraire la luxure, donnait la lèpre, épuisait les sols de culture et pouvait même être un poison violent. Elle tomba alors dans l'oubli jusqu'à ce qu'elle aboutisse aux mains d'un pharmacien et mémorable personnage, Antoine Augustin Parmentier.

Or, Parmentier, persuadé des vertus du légume méconnu, mit en œuvre un stratagème pour en redorer l'image. Dans un champ près de Neuilly, il fit planter des pommes de terre que des gardiens surveillaient le jour. Et la nuit? Voilà tout, la nuit les paysans venaient commettre leurs larcins, emportant chez eux le fruit de leur petit méfait: quelques pommes de terre et surtout, quelques tiges et racines pour cultiver eux-mêmes le légume... et la convoitise. Mission accomplie!

En cuisine, la pomme de terre, c'est le compagnon d'instinct de nos mets. Vous savez d'ores et déjà la cuisiner. Aussi, je me permets quelques autres suggestions. L'ail en chemise à défaut de pommes de terre en robe des champs, par exemple.

L'ail est à l'origine du chandail, abréviation de marchand d'ail. Il désignait le tricot de laine dont s'habillaient les marchands bretons qui venaient vendre de l'ail aux Halles de Paris à la fin du siècle dernier. Et pendant que nous portons des chandails, l'ail garde sa chemise!

Ail en chemise

4 têtes d'ail entières avec la peau
185 ml (3/4 tasse) de bouillon de poulet
quelques branches de thym frais
sel et poivre du moulin au goût

Ce qu'on appelle l'ail en chemise, c'est une tête d'ail entière que l'on fait cuire doucement jusqu'à ce que chaque gousse devienne crémeuse à souhait. On les retire alors de leur enveloppe et on les déguste avec du poulet, de l'agneau ou une viande blanche, par exemple. Leur saveur est à 1000 lieues de la violence de l'ail cru, son goût se rapproche plutôt de l'amande... Vous avez peine à le croire? Essayez!

Tout en conservant leur pelure blanche, coupez le tiers supérieur de chaque tête d'ail de manière à dénuder le haut des gousses, un peu comme si vous retiriez leur chapeau. Cette méthode empêche la tête d'exploser sous l'effet de la chaleur.

Dans un petit contenant en aluminium jetable, placez les têtes côte à côte, la face incisée vers le haut. Arrosez de bouillon de poulet, ajoutez le thym et recouvrez de papier d'aluminium.

Placez sur le gril et laissez cuire assez longtemps pour que l'enveloppe de l'ail ressemble à du papier parchemin et que les gousses se transforment en une purée d'ail parfumée. Comptez 1 h de cuisson.

L'ail en chemise réussit également à merveille au four. Pour ce faire, taillez les têtes et placez-les autour d'un rôti ou d'une volaille. Oubliez le bouillon de poulet et arrosez-les avec le jus de cuisson. Il leur faut environ 1 h pour cuire. Réservez quelques gousses que vous ajouterez à une purée de pommes de terre, leur parfum délicat se fond dans ce plat avec brio.

L'écrivain Colette avait peu de respect pour le champignon de Paris...
«Je me révolte contre le champignon de couche, créature insipide, née de l'ombre, couvée par l'humidité.
J'en ai assez qu'il baigne, haché, dans des sauces qu'il allonge;
je lui interdis de prendre le pas sur la girolle, j'exige de lui qu'il ne contracte plus mariage avec la truffe, et je les consigne, lui et sa digne compagne, la crête de coq en boîtes, à la porte de ma cuisine!»

Prisons et Paradis *(chez Hachette)*

Le risotto à la Colette

Risotto aux champignons

4 ciboules émincées
2 c. à soupe d'huile d'olive
1 douzaine de champignons émincés
350 g (1 1/3 tasse) de riz italien *arborio*
125 ml (1/2 tasse) de vin blanc sec
1 l (4 tasses) de bouillon de poulet
60 g (2 oz) de beurre
125 ml (1/2 tasse) de crème à 35 %
2 c. à soupe de parmesan grossièrement râpé

En hommage à nos coureurs des bois et pour la poésie de votre risotto, choisissez de beaux champignons. Abstenez-vous cette fois de choisir des pleurotes, leur saveur délicate ne tirera pas avantage de cette préparation. Le champignon de Paris, la variété café surtout, saura à coup sûr vous surprendre.

Émincez finement vos ciboules et faites-les revenir dans l'huile 2 min à feu moyen jusqu'à ce qu'elles deviennent transparentes et à peine colorées. Ajoutez les champignons et laissez cuire 2 min, pour qu'ils soient légèrement grillés. Allez-y ensuite avec le riz et faites revenir 2 min en brassant.

Déglacez au vin blanc en versant le liquide d'un trait à feu assez vif et laissez réduire au 3/4. Ainsi, l'alcool s'évaporera et le mélange se concentrera.

Mouillez avec le bouillon de poulet, 125 ml (1/2 tasse) à la fois, en prenant soin de baisser le feu à chaleur moyenne.

Remuez de temps en temps pour que le riz soit imprégné uniformément et qu'il n'adhère pas à la casserole. Laissez cuire à découvert, sans quoi l'absorption du liquide se ferait moins bien, tout en ajoutant graduellement du bouillon.

Le risotto sera prêt lorsque le liquide sera entièrement absorbé par le riz, tout en demeurant un peu ferme sous la dent. Arrêtez alors le feu et ajoutez le beurre froid coupé en petits morceaux, la crème et le parmesan.

N'essayez pas de substituer à la crème quelque produit laitier allégé que ce soit, car la texture onctueuse de votre risotto s'en trouverait fort amoindrie, croyez-moi.

Mélangez bien et servez avec des côtelettes d'agneau à la menthe fraîche ou une côtelette de porc à la moutarde (voir pages 72 et 75).

Note: Si le risotto est trop épais, ajoutez un peu de bouillon chaud sans toutefois le recuire afin d'obtenir la consistance désirée.

La fin des haricots

Riz, haricots rouges et salsa

500 ml (2 tasses) de bouillon de poulet dégraissé
220 g (1 tasse) de riz complet
1 gros oignon rouge haché
huile
8 gousses d'ail dégermées et broyées
1 c. à thé d'origan
1 feuille de laurier
2 c. à soupe de poudre de chili
1 c. à thé de cumin
1 c. à thé de coriandre sèche
1 c. à thé de piments rouges secs écrasés
1 boîte de 540 ml (19 oz) de haricots rouges rincés et égouttés
250 ml (1 tasse) de jus de tomates

Faites cuire le riz lavé à couvert dans le bouillon de poulet pendant 45 min.

Dans une marmite, faites revenir l'oignon 5 min dans un peu d'huile. Ajoutez l'ail et tous les autres ingrédients. Laissez cuire 10 min à feu doux.

Mélangez le riz et les haricots en sauce chauds et accompagnez de salsa à la tomate et au poireau (voir page 28).

Le mot haricot prête quelquefois à confusion du fait qu'il désigne en même temps la plante, les gousses qu'elle produit et les graines qui se trouvent à l'intérieur de celles-ci. Les haricots rouges sont ces légumineuses en forme de petits rognons que l'on utilise dans la préparation du célèbre plat mexicain, le chili con carne.

«La polenta au vin blanc, très sucrée et liquide comme une soupe, était engageante à avaler. Ensuite, elle tenait au corps comme un plomb vermeil.»

Le Hussard sur le toit *de Jean Giono (chez Gallimard)*

Bouchées de soleil

Polenta grillée

165 g (3/4 tasse) de semoule de maïs fine
875 ml (3 1/2 tasses) de bouillon de poulet
1/3 tasse de Romano râpé
3 c. à soupe de beurre
1/2 c. à thé de poivre
huile d'olive

Une recette, une seule, pour les détenteurs d'un four à micro-ondes! Il faut dire que pour la polenta, c'est difficile à battre.

Dans un bol ou dans une grande tasse à mesurer en verre, mélangez à la fourchette la semoule et le bouillon froid. À la température maximale, faites cuire au four à micro-ondes pendant 15 min, interrompez la cuisson après 5 min pour remuer. Faites de même après 10 min.

Ajoutez le fromage, le beurre et le poivre. Mélangez et versez dans une assiette à tarte en verre en prenant soin de lisser la surface avec le dos d'une cuiller. Laissez refroidir pour éviter la condensation, couvrez avec une pellicule plastique alimentaire et placez au réfrigérateur. La polenta se conserve 3 ou 4 jours.

Avant de servir, coupez la polenta en pointe comme une tarte. Huilez légèrement au pinceau à l'huile d'olive les portions que vous déposerez sur la grille chaude environ 3 min de chaque côté.

On peut garnir chaque part d'un morceau de gorgonzola fondu ou de champignons cuits.

La polenta accompagne bien toutes les viandes grillées, en particulier l'agneau.

S'il vous en reste, gardez-la au réfrigérateur dans une assiette à tarte et découpez des pointes à griller que vous arroserez de sirop d'érable.

Polenta
grillée

Perles champêtres

Orge perlé aux champignons

60 g (1/2 tasse) de champignons de Paris
1 petit oignon haché
60 g (2 oz) de beurre demi-sel
2 tasses d'orge perlé
4 1/2 tasses de bouillon de poulet
poivre
sel, si le bouillon est peu assaisonné

Comme pour le risotto et nombre d'autres plats, préférez les champignons de Paris couleur café plutôt que blanc, ils sont plus savoureux.

Dans une casserole, faites revenir au beurre les champignons et l'oignon. Versez l'orge et le bouillon d'un trait. Amenez à ébullition, puis réduisez la chaleur pour laisser mijoter à feu très doux et à couvert pendant 40 min, pour qu'il cuise autant que possible à la vapeur. C'est cuit lorsque tout le liquide est absorbé.

Laissez-le alors gonfler à couvert 10 min sur le feu éteint.

On peut préparer l'orge à l'avance et le faire réchauffer à la poêle avec un peu de beurre ou au four à micro-ondes, ce qui n'altère en rien sa texture ni sa saveur.

Au cube!

Papillotes de pommes de terre aux herbes

4 grosses pommes de terre
2 c. à thé de graines de sésame grillées
2 ciboules finement hachées
1/2 c. à soupe de paprika
2 gousses d'ail dégermées et broyées
sel et poivre
2 c. à soupe de beurre

Lavez et brossez bien les pommes de terre, ne les épluchez pas et coupez-les en dés.

Dans un bol, mélangez tous les ingrédients à l'exception du beurre. Versez la préparation sur une feuille de papier d'aluminium extra-fort. Ajoutez le beurre en petits morceaux et scellez la feuille.

Déposez sur la grille à feu moyen et laissez cuire jusqu'à ce que les pommes de terre soient tendres lorsqu'on les pique avec une fourchette.

Le principe de la papillote convient également à la cuisson de plusieurs légumes dont les oignons, les courgettes, les aubergines, etc. À vous les combinaisons.

Le syndrome de la pomme de terre incomprise, comprenez? La pomme de terre fait grossir quand on la mange après que Humpty Dumpty y a mis son grain de sel, ou quand on la cache sous une montââââgne de crème sure, ou qu'on la pile avec de la crème et du beurre. Sinon, ça va! Elle est même une bonne source de vitamines B et C, et de potassium. Plus sa chair est jaune, plus elle contient de vitamine C.

Pour vous situer dans l'ordre des transformations des grains, il y a, dans les loges, l'orge mondé. C'est le plus nutritif, parce qu'on ne lui a retiré que son enveloppe extérieure. L'orge écossais suit avec ses trois opérations de polissage, pour laisser place à l'orge perlé que nos grand-mères appelaient barley. *Six abrasions ont donc poli ce grain pour éventuellement supprimer son germe, mais consolez-vous, il renferme encore suffisamment de vitamines, de sels minéraux et de fibres pour en faire une céréale de choix. Surtout si on la compare aux flocons et à la farine qui en découlent.*

Nonna Mimi

Pennine aux tomates d'été

3 belles tomates du jardin coupées en deux, épépinées puis coupées en petits dés
4 c. à soupe de basilic frais ciselé
1 1/2 c. à thé de gros sel
1 grosse gousse d'ail dégermée et hachée
250 g (1 tasse) de ricotta (à la température ambiante)
2 c. à soupe de crème à 35 %
poivre du moulin
1 pincée de muscade
125 g (1/2 tasse) de fromage fontina en petits dés
125 g (1/2 tasse) de mozzarella grossièrement râpée
500 g (1 lb) de pennine
2 c. à soupe d'huile d'olive
125 g (1 tasse) de parmesan frais râpé

Ce plat de pennine est d'une telle simplicité enfantine et d'une saveur si exquise que cette page risque fort d'être, sous peu, imprégnée de salissures à la tomate. Tant pis, c'est bon pour l'âme!

Parlant tomates, si vous mettez la main sur de belles tomates italiennes, allez en paix, elles conviennent parfaitement pour ce plat de pâtes.

Si vous vous demandez: «Qu'est-ce que cela, du fontina?», voici la réponse: c'est un fromage italien à pâte semi-ferme fait de lait de vache. Vous le découvrirez dans les bonnes fromageries et les épiceries italiennes, comme on en trouve de plus en plus facilement. Et Nonna Mimi, c'est grand-maman Mimi Guinta, la créatrice de ce plat.

Mêlez les dés de tomates, le basilic ciselé, le sel et l'ail, et laissez reposer 2 h à la température ambiante.

Mélangez la ricotta, la crème, le poivre et la muscade à l'aide d'une fourchette jusqu'à consistance crémeuse mais aérée. Ajoutez le fontina et la mozzarella, réservez à température ambiante.

Égouttez les tomates, qui auront dégorgé sous l'action du sel, pour les débarrasser de leur surplus d'eau et faites réchauffer à four tempéré un plat de service.

Déposez dans ce plat chaud les pâtes bien égouttées cuites *al dente*, juste assez pour qu'elles résistent un peu sous la dent. Ajoutez l'huile, les fromages et les tomates. Mélangez bien entre chaque ajout de préparation. Saupoudrez de parmesan et servez sans tarder.

Ce plat doit être servi tiède. Parfumez-le de quelques feuilles de basilic frais, cet incontournable!

Pour le plaisir...

«Tout homme qui fait cas du dessert après un bon dîner est un fou qui gâte son esprit avec son estomac», c'est du moins ce qu'affirmait avec fracas La Chapelle, majordome de Louis XIII. À cette époque, le terme générique «dessert» – de desservir – englobait tout ce que l'on offrait aux convives une fois retirés les mets précédents. C'est-à-dire tant les fromages que les préparations sucrées. Ces entremets de douceurs pouvaient se succéder entre les différents services. Or, flans et blancs-mangers s'inséraient entre les plats de viandes, tandis que le dessert proprement dit prenait place à la toute fin du repas. Le dessert du Moyen Âge était poétiquement composé de ce que l'on appelait «l'issue», soit un verre d'hypocras (une boisson aromatique à base de vin et d'épices macérées) et des «boutehors» (des dragées aux épices et aux fruits confits).

Au XXe siècle, submergés que nous sommes de poudres instantanées qui, additionnées d'eau, nous esquissent une fausse crème caramel en un rien de temps, voilà que le fou en nous réclame la gâterie de l'esprit via l'estomac...

On dit qu'à la base, les desserts ont été composés, beaux, parfumés et colorés, pour retenir les jeunes filles à table dans les réunions de famille.

Il suffit parfois d'une poignée de petits fruits ou d'une glace bien fraîche pour raviver les souvenirs de l'âge où même le dessert avait peine à nous retenir à table.

La fraise des bois – du latin fragum, *signifiant fragrance – exhale un parfum sucré très concentré qu'on a peine à percevoir dans les étalages de fraises cultivées vendues sur les marchés. Elles sont cependant plus rares, de petites tailles et difficiles à cueillir. Il existe dans le monde plus de 600 variétés de fraises. Faites un petit tour dans un centre de jardinage et procurez-vous quelques plants rustiques et parfumés pour vos plates-bandes.*

Les fruits oubliés

Tarte à la rhubarbe

donne 1 tarte

2 abaisses de pâte à tarte
500 g (4 tasses) de rhubarbe rouge fraîche
55 g (1/3 tasse) de farine tout usage
350 g (1 1/2 tasse) de sucre
1 pincée de muscade
1 pincée de cannelle
2 œufs légèrement battus
1 c. à soupe de lait
1 c. à thé de vanille pure
1 c. à soupe de beurre

Sortez du coffre-fort votre inimitable recette de pâte à tarte, cette garniture ne fera que l'honorer. Si vous êtes plutôt du genre mauvais «pâte-à-tarteur», sachez, si ça peut vous encourager, que la recette inscrite sur la boîte de graisse végétale est infaillible.

Préchauffez le four à 200 °C (400 °F). Garnissez l'abaisse de tronçons de 2,5 cm (1 po) de jeune rhubarbe rouge fraîche non pelée. Abstenez-vous à tout prix d'employer de la rhubarbe congelée: ce serait, comme on dit, le bonheur contre le désespoir. Horrible!

Versez dans un bol la farine, ajoutez le sucre, la muscade et la cannelle. Mêlez bien les ingrédients secs avant d'incorporer les œufs battus, le lait pour assouplir le mélange et la vanille.

Versez sur la rhubarbe et parsemez de noisettes de beurre. Couvrez d'une abaisse, que vous entaillerez légèrement pour laisser échapper la vapeur, et faites cuire au four, 50 à 60 min.

Trésor du terroir

Croustillant aux pommes

5 ou 6 pommes
jus de citron
115 g (1/2 tasse) de sucre
1 pincée de cannelle (facultatif)
1 pincée de muscade
1 c. à soupe de beurre

Garniture
125 g (1 tasse) de farine
90 g (1 tasse) de gruau
125 g (4 oz) de beurre
110 g (2/3 tasse) de cassonade

Un dessert de grand-mère, le truc à faire à l'improviste parce qu'on a toujours tout en provision pour le réaliser.

Préchauffez le four à 190 °C (375 °F). Pelez les pommes, retirez le cœur et coupez-les en fines tranches, d'environ 1/2 cm (1/4 po) d'épaisseur, arrosez de citron pour les empêcher de noircir. Réservez.

Dans un bol moyen, combinez les ingrédients secs de la garniture. Ajoutez le beurre frais que vous couperez grossièrement avec un coupe-pâte ou deux couteaux pour obtenir un mélange grumeleux. Il s'agit ici de défaire le beurre en petits morceaux, gros comme des pois, sans toutefois le ramollir. Ne faites surtout pas comme l'ami René Lemieux qui, par excès de zèle, a fait fondre le beurre dans une casserole!
Déposez la moitié de la garniture dans un moule de Pyrex de 20 cm (8 po) de côté, pressez légèrement avec les doigts. Déposez les pommes citronnées sur le mélange, saupoudrez avec le sucre, la cannelle et la muscade. Parsemez de 1 c. à soupe de beurre coupé en petits morceaux. Recouvrez du reste de la préparation sèche.

Enfournez pour environ 45 min, c'est-à-dire le temps que le mélange prenne une belle couleur dorée.

En saison, remplacez les pommes par des pêches, de la rhubarbe, des fraises ou des bleuets si l'idée vous chante.

La proportion de gruau d'avoine et de farine pour la garniture peut aussi être modifiée selon que vous aimez le mélange plus homogène ou plus grumeleux.

Une légende raconte que les framboises étaient, il y a fort longtemps, blanches... Que l'on doit leur teinte vibrante à la nymphe Ida qui, allant un jour cueillir des baies pour Jupiter enfant, se piqua le doigt. Le fruit prit à jamais la coloration rouge qu'on lui connaît.

La variété la plus courante de framboise est rouge, mais il y a plus... Il y en a des jaunes. Il paraît qu'il en existe aussi des noires – sans être des mûres – et d'autres de couleur orangée, ambrée et blanche. Quant à la baie de Logan et celle de Boysen, ce sont des croisements de mûres et de framboises qui portent le nom de leur père spirituel.

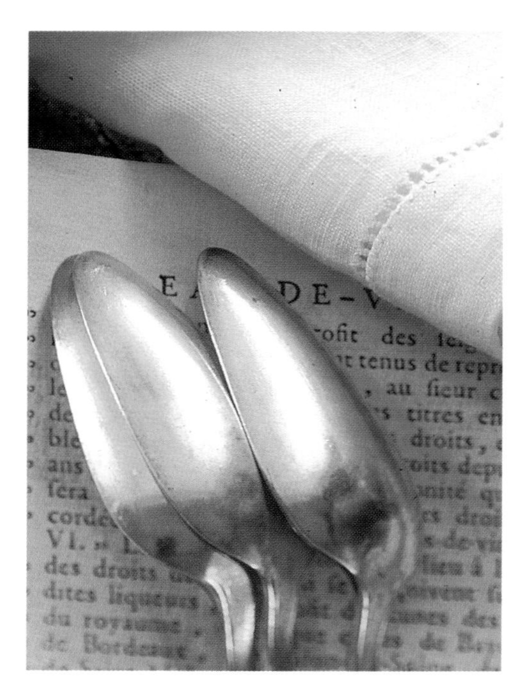

Péril jaune

Tarte chiffon au citron

donne 1 tarte

1 fond de tarte cuit
250 ml (1 tasse) de crème à 35 %
55 g (1/4 tasse) de sucre
250 ml (1 tasse) de mascarpone (fromage italien)
125 ml (1/2 tasse) de sauce au citron
zestes de citron
feuilles de menthe fraîche ciselées

Sauce au citron

320 g (2 tasses) de sucre
250 g (8 oz) de beurre non salé
250 ml (1 tasse) de jus de citron
3 œufs à la température ambiante
1 enveloppe de gélatine
1 pincée de sel

On l'appelle «péril jaune» pour son côté péché, pour les calories qu'il inspire. Il reste si peu de péché!

Commencez par préparer la sauce. Au bain-marie, faites fondre le sucre et le beurre avec le jus de citron. Incorporez les œufs et laissez cuire 10 min en mélangeant au fouet constamment pour éviter la formation de grumeaux. Filtrez et réservez.

Faites gonfler la gélatine dans 120 ml d'eau froide pendant 5 min avant de la porter à ébullition. Laissez refroidir 5 min.

Fouettez la crème avec le sucre et, tout en continuant de brasser, incorporez la mascarpone, la sauce froide au citron, les zestes de citron et la gélatine.

Versez sur la croûte de tarte et laissez refroidir dans le réfrigérateur pendant 3 h au moins.

Décorez avec des zestes de citron, des feuilles de menthe ciselées et servez en fines pointes nappées de sauce au citron.

Tarte chiffon
au citron

Nuage
aux framboises

Nuage aux framboises

Meringue souple aux fruits rouges

Eugène Briffault, écrivain et gastronome, a dit un jour ceci: «Pour composer un beau dessert, il faut être à la fois confiseur, décorateur, peintre, architecte, glacier, sculpteur et fleuriste. Ces splendeurs s'adressent surtout au regard; le vrai gourmand les admire sans les toucher.» Il ne devait pas connaître le nuage aux framboises!

Gâteau

10 blancs d'œufs
1 pincée de crème de tartre
ou 1 pincée de sel
350 g (1 1/2 tasse) de sucre blanc
1 c. à thé de vinaigre blanc
2 c. à thé de fécule de maïs
1/2 c. à thé d'extrait de vanille pur

Garniture

55 g (1/4 tasse) de sucre
375 ml (1 1/2 tasse) de crème à 35 %
1/2 c. à thé d'extrait de vanille pure
2 casseaux de belles framboises fraîches

Sauce

2 casseaux de framboises fraîches ou
1 boîte de framboises surgelées
115 g (1/2 tasse) de sucre
jus de citron
crème à 35 % ou yogourt nature

Vaporisez de Pam (oh! sacrilège...), un moule à fond amovible de 22 cm (9 po) et enfarinez-le avec de la fécule de maïs. Préchauffez le four à 230 °C (450 °F) pendant que vous commencez la préparation.

À l'aide d'ustensiles rigoureusement propres, sans quoi votre meringue aura peine à prendre son envol, montez les blancs à petite vitesse avec la crème de tartre et le sel jusqu'à ce qu'ils soient mousseux. Les œufs n'aiment pas être brusqués, soyez délicat!

Augmentez progressivement jusqu'à vitesse maximale. Commencez à ajouter le sucre, 1 c. à soupe à la fois, lorsque des pics se forment dans la meringue pour qu'elle soit ferme et brillante. Ajoutez la vanille, le vinaigre, la fécule et versez dans le moule.

Enfournez dans le four préchauffé en fermant la porte hermétiquement. À ce moment-là, il faut fermer le four et l'éteindre. Vous avez tout compris! Le nuage doit séjourner huit longues heures dans le four et cuire doucement dans la chaleur décroissante du purgatoire. Surtout, n'ouvrez pas la porte pendant ces 8 h.

Fouettez la crème avec le sucre et la vanille, nappez-en votre nuage que vous magnifierez de framboises fraîches. Passez les framboises au mélangeur avec le sucre et un peu de jus de citron. Passez au chinois et ajoutez de la crème ou du yogourt afin d'obtenir une belle teinte rosée. Servez le gâteau en pointes sur la sauce aux framboises.

« Saturdays »

Sundæ au butterscotch et pacanes grillées

donne environ 500 ml (2 tasses)

125 g (1 tasse) de pacanes en moitiés
285 g (1 1/4 tasse) de sucre
100 ml (3 oz) de scotch whisky
185 ml (3/4 tasse) de crème à 35 %
3 c. à soupe de beurre non salé à la température ambiante
1 pincée de sel

Le bon dieu en culotte de velours! Je m'accuse ici de n'avoir point voulu de cette recette pour son titre, trop peu évocateur, qui m'inspirait méfiance face aux souvenirs de mauvaises crèmeries qui ont galvaudé malicieusement le terme *butterscotch*. Du scotch, du beurre, du sucre et de la crème... compris? Le bon dieu, promis!

D'abord, préchauffez votre four à 190 °C (375 °F) pour y glisser les pacanes distribuées uniformément sur une plaque à biscuits et les faire dorer pendant 10 à 12 min en remuant quelquefois. Laissez-les refroidir. Hummm, ça sent bon! La minuterie s'avère utile pour ne pas les oublier et les laisser brûler.

À feu doux, dans une casserole à fond épais, faites chauffer le sucre et le scotch jusqu'à ce que les cristaux de sucre soient dissous. Augmentez la chaleur et amenez à ébullition.

Laissez bouillir sans remuer, je répète, sans remuer, jusqu'à l'obtention d'un sirop d'une belle couleur ambrée. Retirez du feu et ajoutez la crème d'un trait. Attention, le mélange formera des bulles et aura tendance à se solidifier, ne paniquez pas, remuez! Remettez sur le feu et amenez à ébullition. Remuez avec un fouet jusqu'à ce que la consistance soit lisse. Retirez du feu, incorporez le beurre, le sel et les pacanes. Laissez refroidir et servez la sauce à température ambiante sur une crème glacée à la vanille. Les puristes pousseront la gourmandise en versant d'abord un peu de sauce, ensuite la crème glacée et... encore un peu de sauce! Des pacanes et, bien sûr, la cerise sur le sundæ.

«Je ne peux pas vous dire si le butterscotch se conserve bien ou si les noix ramollissent dans la sauce, quand on tarde à les mettre en bouche. Je n'ai jamais eu l'occasion de vérifier, elle disparaît trop vite!» s'exclame Louise, triomphante.

Je tiens à vous avertir. Si vous faites la recette des saturdays, vous êtes en danger de devenir un accro et de finir avec un «tic» disgracieux: une cuiller dans le fond d'un pot de sauce au butterscotch que vous portez d'un mouvement rapide à votre bouche et qui retourne dans le pot et qui retourne à votre bouche inlassablement... Vous êtes prévenu!

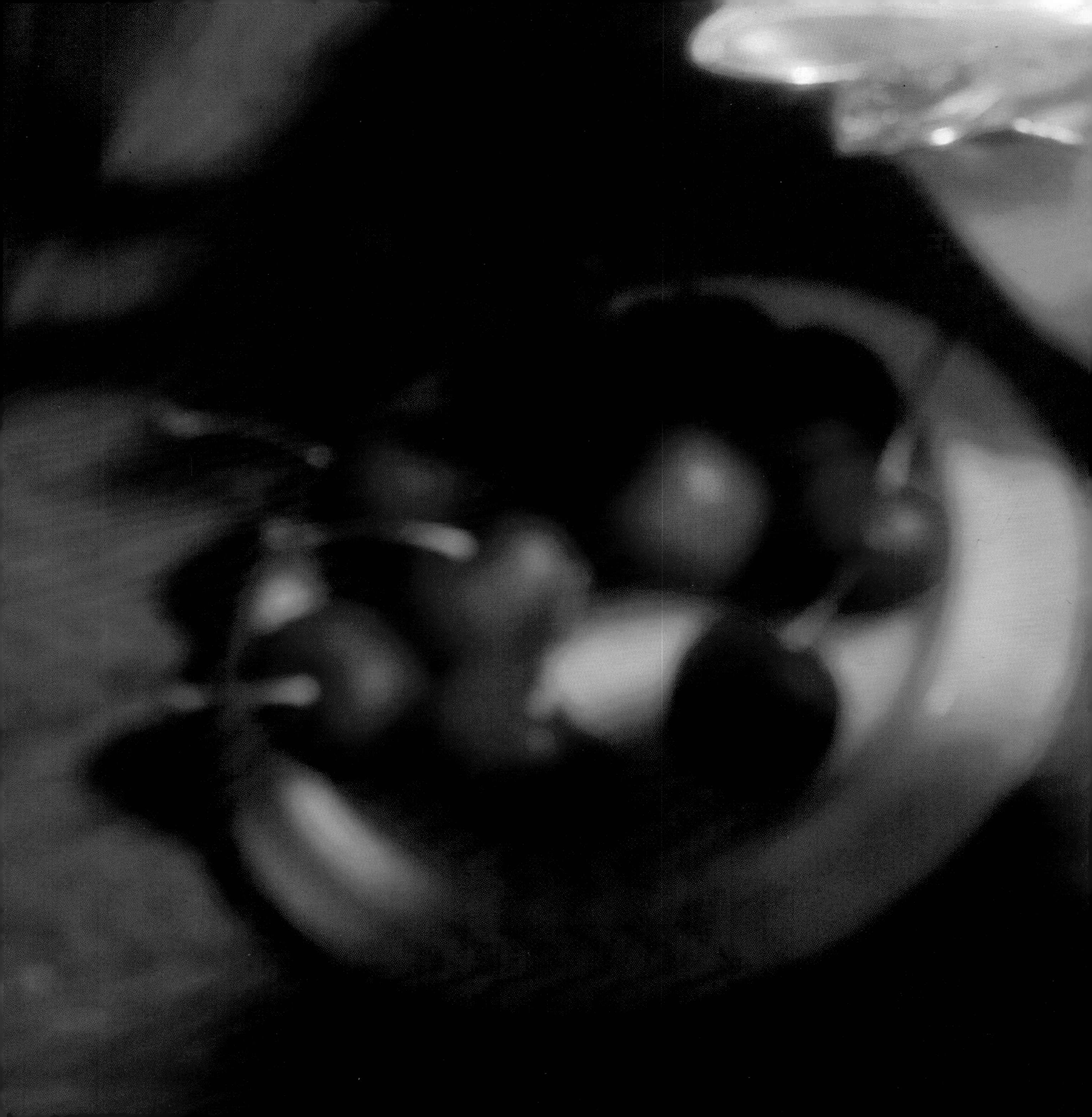

Saturdays
aux pacanes grillées

Jamais je ne t'oublierai

Gratin de fruits

4 jaunes d'œufs
55 g (1/4 tasse) de sucre
100 ml (3 oz) de vin blanc (mousseux de préférence)
250 ml (1 tasse) de crème à 35 %
750 g (5 tasses) de petits fruits mélangés (petites fraises sucrées, framboises, gadelles, mûres, cassis, groseilles, etc.)

Voilà un autre dessert qui ne se fait résolument pas au barbecue, mais le «parfait braiseur» a plusieurs cordes à son arc et sait que la gourmandise exige de son hôte un soupçon de versatilité... En revanche, le gratin se prépare en un tournemain.

Faites un sabayon en mettant les jaunes d'œufs au bain-marie avec le sucre et le vin. Émulsionnez ce mélange en fouettant vigoureusement jusqu'à ce qu'il devienne mousseux et uniforme, d'une belle couleur jaune pâle. Laissez refroidir au réfrigérateur.

Pendant ce temps, fouettez la crème jusqu'à ce qu'elle forme des pics fermes, incorporez-la au sabayon refroidi avec beaucoup de délicatesse. Le mélange doit être homogène, sans plus.

Faites chauffer l'élément du haut de votre four à température maximale.

Lavez dans une passoire, équeutez et séchez les petits fruits que vous répartirez dans quatre ramequins ou assiettes creuses allant au four. Recouvrez les fruits de sabayon et enfournez lorsque le four est très chaud.

Il est de prime importance de griller le sabayon à température élevée sans quoi vos fruits cuiront et vous priveront de leur fermeté, lamentablement noyés dans leur jus.

Lorsque le sabayon commence à prendre une belle teinte dorée, retirez du four et servez. Délectez-vous.

Méfiez-vous toutefois, ce sabayon brûle facilement, ce serait dommage!

Mystères fruités

Short cakes aux petits fruits

Les short cakes véritables sont de proches parents des tea biscuits *que l'on sert à l'heure du thé à l'anglaise. Un pur délice. La saison des petits fruits est courte, il faut en profiter... Pour vous donner bonne conscience, mettez 1 c. à thé de crème fouettée de moins quand vous vous servez une deuxième portion!*

280 g (1 3/4 tasse) de farine tout usage
2 c. à soupe de sucre
4 c. à thé de poudre à pâte
1/2 c. à thé de sel
125 g (1/2 tasse) de graisse végétale
175 ml (2/3 tasse) de lait
1 c. à thé de zestes d'orange frais

Des short cakes... Les pauvres, ils ont souffert du même syndrome que le butterscotch (voir p. 115). Pourtant, les «vrais» short cakes méritent l'attention. Ce sont de petits gâteaux qui se rapprochent, par leur texture, des pâtisseries anglaises servies à l'heure du thé, à 1000 lieues de ces vulgaires éponges circulaires vendues sous ce nom dans le commerce. Si mes mots ne vous vendent pas l'idée, posez vos yeux sur la page suivante.

Préchauffez le four à 220 °C (425 °F). Mesurez et versez dans un bol à mélanger la farine, ajoutez le sucre, la poudre à pâte et le sel. Tamisez le mélange d'ingrédients secs pour rendre plus aérienne votre pâtisserie.

Coupez la graisse végétale – ou le beurre, si vous avez le doigté – dans les ingrédients secs avec l'aide d'un coupe-pâte jusqu'à ce que la texture soit granuleuse. Granuleux comment? Disons, gros comme de gros grains de poivre.

Ajoutez le lait et les zestes d'orange d'un trait – le mélange ne supporte pas très bien le tripotage – et remuez à la fourchette juste assez pour humidifier la pâte.

Posez ensuite la pâte sur une planche farinée et pétrissez-la délicatement en la repliant sur elle-même environ 20 fois.

Abaissez la pâte à 1 cm (1/2 po) d'épaisseur et coupez à l'emporte-pièce, ou autre objet rond, de 8 cm (3 po).

Posez les cercles de pâte sur une plaque non graissée et enfournez de 15 à 20 min.

À l'aide d'une fourchette, ouvrez les short cakes en deux, garnissez la base du gâteau de crème fouettée et de petits fruits frais. Des bleuets, des framboises, des fraises, des mûres si vous avez la chance d'en trouver... Posez le chapeau du short cake sur votre petit édifice garni et recommencez le manège pour ainsi transformer l'édifice en gratte-ciel. Ciel que c'est bon!

«Rien n'égale la joie

de l'homme qui boit,

si ce n'est

la joie du vin d'être bu.»

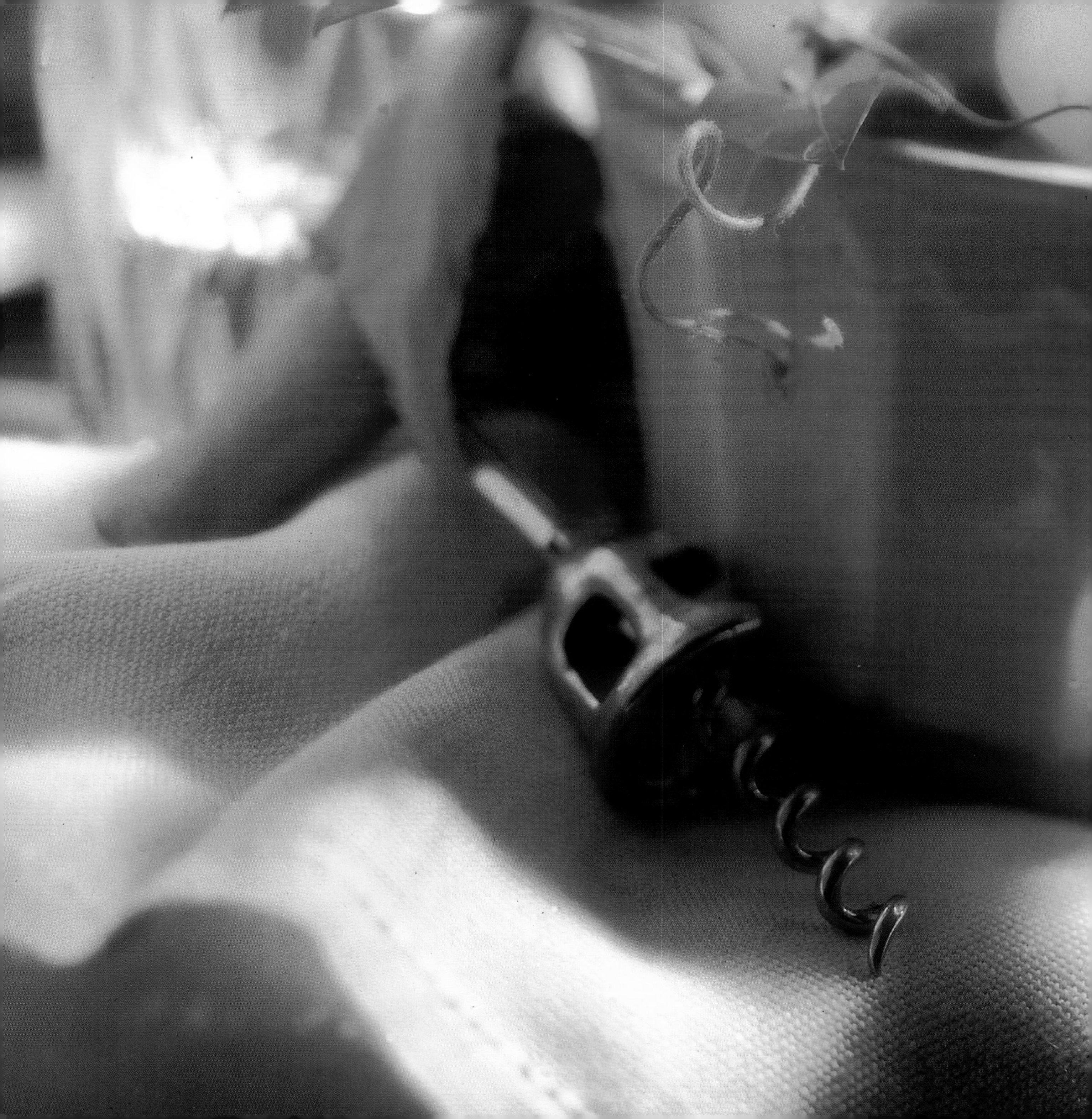

De la coupe aux lèvres

Entre la chaleur de l'été et celle du barbecue... bonjour, la soif! Sûr que vous n'aviez pas l'intention d'attendre l'invitation, mais politesse oblige, on a le plaisir de vous inciter à accompagner vos grillades de quelques bonnes bouteilles. Toutefois, la simplicité et la joie des papilles étant de mise, les férus de cuisine en plein air éviteront les coquetels, coolers et autres breuvages du genre, pour s'en tenir aux classiques de la saison: le vin et la bière.

Pour l'amour de Bacchus

Pour séduire, étirer la soirée ou tout simplement philosopher sur l'herbe, il n'y a rien de la coupe aux lèvres comme le vin. D'autant que la vigne en fait pour tous les goûts et que ces derniers ne se discutent pas. Pourtant, si vous désirez profiter autant des saveurs du vin que de celles des mets, il faut au moins essayer de respecter le principe de l'équilibre, à savoir que le goût de l'un ne masque pas l'autre et, comble de bonheur, qu'il y ait complémentarité entre les deux. Voilà une donnée de départ qui vous évitera de faire fausse route.

Rien n'empêche que dans ce recueil, il y en ait effectivement pour tous les goûts. D'abord, les amateurs de bons petits vins blancs secs et fruités y trouveront certainement leur compte. Ce genre de vin joue évidemment le même rôle que les bières blondes à l'apéritif avec leur côté désaltérant. Mais ils ont aussi leur place auprès des poissons (sauf le thon) et crustacés,

Il est étonnant de constater que nombre d'amateurs de vins hésitent encore à rafraîchir un rouge. On le fait pour un Beaujolais ou un vin rouge léger, mais on laisse sur la table les rouges plus costauds ou de meilleure qualité. Pourtant la température idéale pour servir un vin rouge tourne autour de 18 °C, ce qui est beaucoup plus frais que la température ambiante, surtout lorsqu'on prépare un barbecue. À 25 ou 26 °C, les tanins de tous les vins rouges, même des meilleurs, masqueront la plupart des saveurs. Il est préférable d'appliquer le traitement choc du réfrigérateur pendant une heure ou deux avant de les consommer.

et des viandes blanches comme le filet de veau aux framboises.

En parlant de vin blanc sec et fruité, on pense immédiatement au cépage sauvignon. La plupart des vins de Bordeaux blancs sont élaborés avec du sauvignon. Parmi les noms à retenir, il y a le Château Bonnet (appellation Entre-deux-Mers), le Numéro 1 de la maison Dourthe et, pour les porte-monnaie mieux garnis, le Château de Rochemorin (appellation Pessac-Léognan).

Cependant, les sauvignons qui offrent souvent les meilleurs rapports qualité-prix ne sont pas français. Les Californiens ont été parmi les premiers à exploiter ce cépage à grande échelle à l'extérieur de la Gaule. Le Sauvignon — qu'ils appellent Fumé Blanc — produit par les wineries Glen Ellen et Robert Mondavi est des plus appréciables. Mais, c'est sur les étagères proposant des vins du Chili qu'on a le plus de chances de faire de «bonnes affaires». Le Sauvignon réussit à merveille dans les principaux vignobles du pays, et tous les bons producteurs embouteillent d'excellents vins de ce cépage. Signalons les noms des maisons Torres, Santa Rita, Errazuriz Panquehue, Torreon de Paredes et Los Vascos. Le Sauvignon blanc Bin 25 de l'Australien Lindemans a également beaucoup de caractère.

Mais le vin blanc sec en apéritif n'est pas une obligation. Lors des grosses chaleurs, certains lui préféreront des vins demi-secs, légèrement sucrés, qui ont l'avantage de plaire quand on n'est pas nécessairement amateurs de vins. L'Allemagne et la région française du Val de Loire excellent en ce domaine. Les Allemands produisent une grande variété de vins blancs légers (souvent titrés à moins de 10 % d'alcool) et fruités. Pour les vins français, dont le système de classement est très complexe, demandez aux conseillers de la SAQ quelles sont les meilleures bouteilles, afin d'éviter toute confusion. Les vins d'appellation Coteaux-du-Layon dans le Val de Loire, quoique généralement plus chers, sont doux, fruités et possèdent une pointe d'acidité qui assure un parfait vieillissement. Conservez-les pour les occasions spéciales.

Le barbecue peut être également une excellente occasion pour redécouvrir le vin rosé. Si vous n'avez pas encore oublié les piquettes acidulées et sans goût qui faisaient ravage à une certaine époque, ouvrez immédiatement une bouteille de Château Bellevue la Forêt rosé. Ce vin des Côtes-du-Frontonnais offre, d'année en année, une qualité exemplaire, du fruité, de la finesse et beaucoup de fraîcheur.

Est-ce un bon millésime? Depuis 10 ou 20 ans, les connaissances œnologiques ont fait des progrès extraordinaires. Et l'une des principales conséquences en est la minimisation de l'impact du millésime sur la qualité du vin. Entendons-nous bien. Il y aura toujours de bons et de moins bons millésimes, surtout dans les vignobles septentrionaux et en matière de grands vins (bordeaux ou bourgogne, par exemple). Mais on peut faire maintenant d'excellents «petits vins» dans des millésimes qui autrefois auraient été difficiles. C'est pourquoi lorsqu'on décide de se procurer un petit vin blanc désaltérant, il est préférable de se fier davantage à la qualité de la maison qu'au potentiel de l'année de récolte, et tant mieux s'il était grand.

Le gewurztraminer: voilà un vin blanc tout à fait extraordinaire pour accompagner une vaste gamme de plats préparés sur le barbecue. Vin de cépage unique à l'Alsace, le gewurztraminer possède des saveurs épicées, fruitées (souvent exotiques) et une acidité relevée qui en font un complément idéal autant aux poissons (le thon y compris) qu'à la plupart des viandes, même les rouges si elles ne sont pas trop fortement relevées. Le gewurtz (pour les intimes) est incontournable si vous aimez les vins qui «goûtent».

Vous ne verrez pas arriver le fond de la bouteille. N'hésitez pas non plus à essayer le Pétale de Rose du Château Barbeyrolles (Côtes-de-Provence) et le Dona Paula, un Cabernet-Sauvignon rosé de la marque chilienne Santa Rita.

Certains vins rouges légers jouent un rôle comparable au rosé, en accompagnant de leur fruité les préparations plus subtiles. C'est ici le domaine du cépage Gamay et de son expression universellement connue: le vin de Beaujolais. Comme l'appellation compte autant de succès que d'échecs, mieux vaut choisir un vin de la célèbre maison Duboeuf ou demander l'avis d'un conseiller en vins. Le Gamay pousse également très bien en Touraine (Val de Loire) et le Domaine de la Charmoise, un vin présent depuis peu chez nous, en est un excellent exemple à très bon prix. Et puis, il ne faudrait pas sous-estimer l'intérêt de plusieurs Cabernet-Sauvignon et de Merlot chiliens, dont la principale qualité est le fruité explosif. Les maisons San Pedro, Carta Vieja, Concha y Toro et Canepa en font de très bons.

Les grillades s'arrosent également de vins rouges plus riches et plus capiteux. Ils sont d'ailleurs les seuls à pouvoir tenir tête aux assaisonnements et ingrédients relevés que l'on retrouve dans plusieurs recettes. Il n'est point besoin de finesse, comme en Bourgogne, ni de profondeur, comme à Bordeaux. Ce qui est recherché, c'est la structure, le fruité et des tanins enveloppants. Une telle définition impose les vins des Côtes-du-Rhône. Il y a des incontournables, comme le Côtes-du-Rhône de la maison Guigal ou le Côtes-du-Rhône-Villages de Benjamin Brunel. Si le cœur, et un peu le portefeuille, vous en dit, laissez-vous tenter par les appellations Saint-Joseph, Gigondas et Crozes-Hermitage, ou encore par un Châteauneuf-du-Pape. Vos plats les plus relevés y trouveront des compagnons de taille.

Il y a évidemment d'autres rouges généreux qui peuvent chaperonner vos barbecues, dont les Cabernet-Sauvignon californiens et australiens et certains vins chiliens ayant vieilli en fûts de chêne. Les vignobles moins connus du sud et du sud-ouest de la France, que sont le Languedoc-Roussillon, les Côtes-de-Provence, le Cahors, le Madiran et le Buzet, réservent quelques belles surprises et sont souvent peu chers.

Le seul principe vraiment important est d'éviter «d'écraser» votre repas en l'arrosant d'un vin trop puissant. Pour le reste, incluant tous les vins dont il n'a pas été question ici, c'est une question de goût, d'expérimentation et de plaisir. Donc, ne soyez pas plus catholique que le pape et osez: le barbecue, c'est fait pour ça.

À la conquête du houblon

Pour de nombreux braiseurs, le barbecue est indissociable de la bière. Profitez donc de l'occasion pour en explorer et savourer les différentes facettes. Il y a des milliers de sortes de bières produites un peu partout dans le monde, et chez nous le monopole des grandes brasseries est peu à peu croqué par de petits brasseurs qui élargissent constamment l'éventail des types de bières proposées sur notre marché.

Pour faire une longue histoire courte, précisons qu'il y a deux grandes catégories de bières. Les ales, élaborées à l'aide d'un procédé de fermentation de surface, sont généralement assez fortes, entre 5 à 12 % d'alcool (sauf exceptions), et déclinent des couleurs foncées (les rousses, les ambrées et les brunes). Les lagers sont dites de fermentation basse (au fond de la cuve) et sont pour la plupart des blondes, assez légères, aux arômes fruités et aux couleurs dorées. Ce sont de magnifiques bières à servir en apéritif pour faire patienter les convives irrésistiblement attirés par les effluves s'échappant du barbecue.

Alors, si les blondes vous tentent, laissez-vous désaltérer d'abord par les excellentes bières des micro-brasseries québécoises. L'une des pionnières, et toujours parmi les meilleures, est la Belle Gueule. Une bière très blonde et «goûteuse». Autre succès d'estime chez les amateurs de lager: la Hops Braü, un nom qui évoque nettement l'inspiration allemande de cette bière brassée à Montréal par la société Brasal. D'autres blondes désaltérantes, mais de type ale, sont produites au Québec, dont la Boréale blonde, la Saint-Ambroise et la Griffon blonde ale.

La SAQ, qui a l'avantage (celui du monopole) d'offrir des bières importées d'un peu partout dans le monde, permet d'élargir sa palette des grandes bières blondes.

Si vous n'aimez pas la bière, les barbecues thématiques où l'on propose aux invités un assortiment de bières locales ou étrangères peuvent être une source d'embarras. Pourtant, c'est l'occasion idéale de goûter des bières à base de froment (ou de blé, si vous préférez) qui sont définitivement plus fruitées et moins amères que les «vraies». Elles possèdent même un arrière-goût légèrement sucré. Alors, essayez la Blanche de Chambly, brassée selon un vieux procédé artisanal qui est une bière de qualité à la couleur trouble caractéristique. Il y a également la Blanche de Bruges, une bière belge du même genre offerte à la SAQ.

Parmi les classiques et indispensables à qui cherche à étancher sa soif avec goût, retenez surtout la Pilsner Urquell de la République tchèque (l'une des plus grandes bières du monde), la Grolsch et la Heineken de Hollande et la Giraf brassée au Danemark.

D'autre part, les inconditionnels du houblon seront heureux d'apprendre que la bière n'est pas confinée qu'à l'apéritif. Particulièrement lorsqu'il est question grillades avec assaisonnements ou accompagnements relevés. Ici, tout est matière de caractère et de structure, et c'est le domaine des rousses et des brunes. Ces bières ont généralement plus de corps et d'amertume, et supportent bien les plats épicés. Les petites brasseries artisanales du Québec élaborent quelques-unes des très bonnes rousses offertes sur notre marché. La Boréale rousse, une originale de Saint-Jérôme, est déjà un classique. Avec sa couleur chatoyante et ses saveurs soutenues et un tantinet sucrées, elle n'en est pas à ses premières conquêtes. N'hésitez pas non plus à goûter la Saint-Ambroise rousse. En fait, nos bières rousses se comparent assez bien aux grandes bières anglaises du même type. La SAQ nous offre depuis plusieurs années deux classiques du genre: la Bass Pale Ale et la Double Diamond. Depuis peu, elle présente également la Smithwick's, une excellente rousse irlandaise fruitée, que les amateurs d'ici connaissent probablement s'ils fréquentent certains établissements spécialisés dans le service de bière en fût importée.

Pour finir, affirmons sans ambages qu'il est possible de boire des bières fortes pour accompagner les plus relevées de nos recettes sur barbecue. Quelques choix s'imposent. Les Maudite et Fin du Monde brassées par Unibroue, de même que la Griffon Brown Ale de Saint-Ambroise pour les locales, alors que les tablettes de la SAQ offrent quelques petits bijoux, surtout en provenance de Belgique et parmi lesquels il faut absolument goûter la Rodenbach, la Chouffe et les inoubliables Chimay à capsules et étiquettes rouges et bleus.

par Jean-Pierre Bernier

À tout seigneur tout honneur! Dans la région d'Hemmingford, à l'extrême sud de la province, se trouve la cidrerie artisanale qui produit le Crémant de pomme du Minot, *un cidre mousseux très peu alcoolisé – 2,5 ° d'alcool – au bouquet intense légèrement fruité. Une alternative intéressante aux traditionnelles consommations de vins et de bières à servir en apéritif ou en accompagnement des desserts. Peut-être aussi une balade inusitée dans un petit domaine agricole où la mcIntosh règne en maître en cuve close.*

L'essentiel est invisible

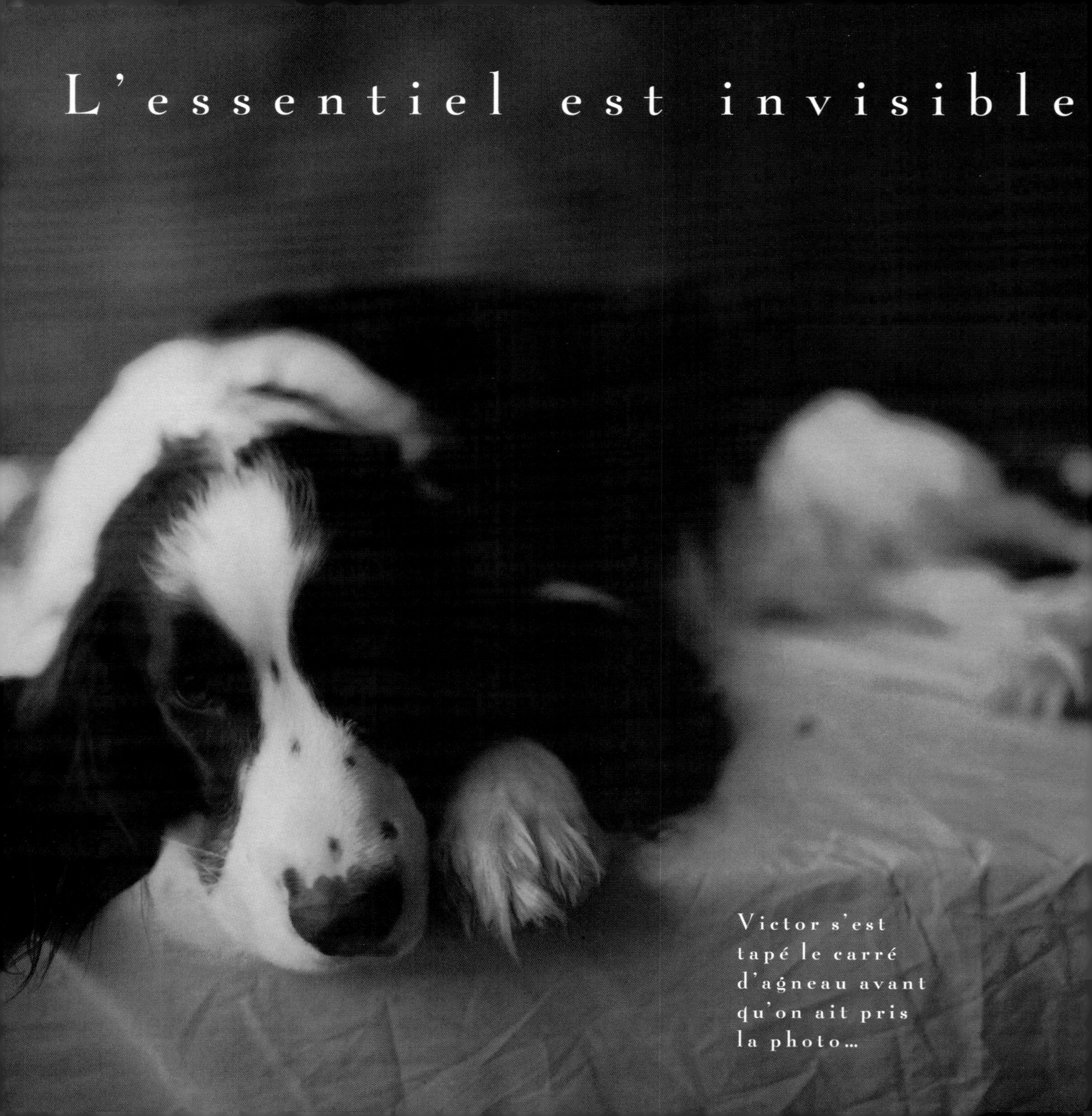

Victor s'est tapé le carré d'agneau avant qu'on ait pris la photo…

pour les yeux

)eux énormes tables croulantes d'assiettes,
e tasses, de serviettes et d'ustensiles
mpruntés ici et là, une cuisine
ui fourmille, qui disperse ses parfums,
uelques *bloopers* et pots cassés mais,
vant tout, une passion bien partagée.

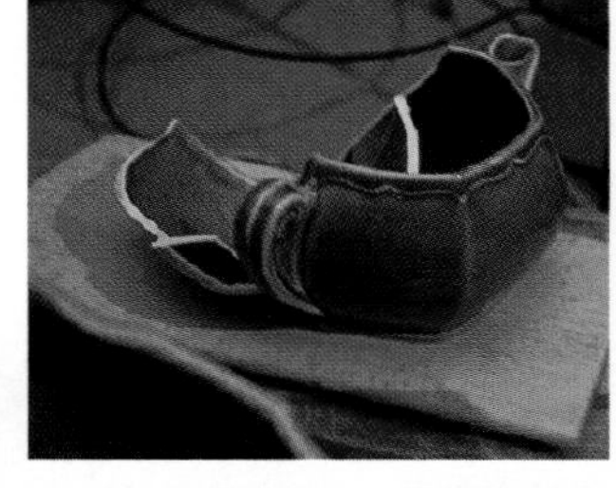

Christian nous a concocté un gâteau de papier afin d'ajuster l'éclairage, sans que ne s'écrase le vrai nuage aux framboises...

Notre photographe s'est littéralement autré dans le plaisir en plaidant la cause u butterscotch, le vrai. Avec du beurre t... avec du scotch.

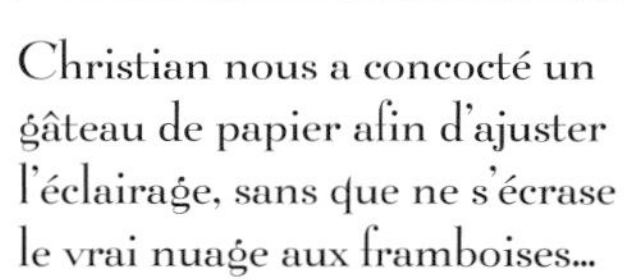

Chérie attendait douloureusement le retour de sa maîtresse... toujours partie manger!

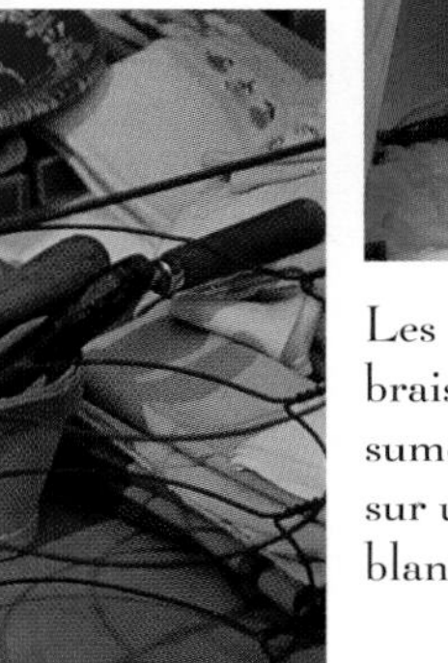

Les dernières braises se sont consumées en décembre, sur un joli manteau blanc!

Le mot de la faim

Les copains d'abord! Dans cette histoire tout feu tout flamme, il y a maints remerciements à adresser aux personnes qui nous entourent, qui ont su apporter leur collaboration et leur soutien. Gérald Bridier, qui a avivé ma passion des plaisirs de la convivialité; René Lemieux pour sa patience et ses conseils sages et judicieux; la famille Carrière au grand complet – Sophie, Stéphane et Marcel – pour leurs coffres à trésors respectifs, leur créativité et leur active participation; Catherine Saguès pour son grain de sel gros comme la mer; Jean-Pierre Bernier pour ses méditations sur les bonnes façons d'étancher la soif; Ha Nguyen pour le secret de ses divins encornets; René-Luc Blaquière de l'ITHQ pour ses bons yeux et son savoir; Stéphane Leduc pour son génie informatique et sa générosité. Merci à Susan et Hugh Healer de la ferme Roxham, à Victor Rugenius, à Beryl Tuvim pour ses fleurs et fruits du jardin, à la pisciculture Guay de Saint-Bernard de Lacolle. Finalement, merci à Onward Multi-Corp Inc. pour son brasier, le *Soverein* de Broil King, et ses recommandations techniques.

«Flagrant délit, deux chefs cuisinent dans leur cour!» C'était le titre d'un article paru sur les Beaulne dans une revue gastronomique traitant de grillades. Voilà qui résume un peu le travail des chefs dans ce recueil. Ils ont mis de côté le jargon des toques blanches pour des préparations simples et savoureuses.

Tout de blanc vêtus, c'est sous le nom de Clémentine qu'ils font office de grands chefs. Jusque-là nichés à Oka, c'est désormais à Hudson qu'il faut se rendre pour goûter leur conception culinaire et... l'inoubliable nuage aux framboises de Louise, maître d'œuvre en pâtisserie.

Michel est chef de cuisine, initiateur de *La cuisine régionale du Québec*, et revendique la fierté d'être gastronome à travers ses créations à saveur québécoise.

Une image vaut mille mots. Christian Lacroix, c'est celui qui vous met l'eau à la bouche de la première à la dernière page, par l'intermédiaire de ses photos. Précisions techniques: il a étudié le design graphique à l'Université Laval à Québec. Études qu'il a poursuivies à San Francisco, en photographie cette fois. Puis la Ville lumière lui ouvre ses avenues, pour qu'à Paris il fasse ses premières armes avant de revenir en force à Montréal.

Depuis, Christian fait dans la bouffe! Campagnes de publicité pour la mise en marché de produits alimentaires, cartes de souhaits, reportages rédactionnels dans le magazine *Plaisirs de la table*, etc.

Son travail minutieux est caractérisé par la source intarissable de ses inspirations au caractère intimiste.

C'est d'abord dans le milieu de la haute couture que Lise Carrière, notre styliste et coordinatrice bien-aimée, a évolué. Étudiante chez Cotnoir Caponi, elle se découvrit une passion pour les textiles. Ses stages et ses voyages à l'étranger lui ont permis de se rapprocher du concept visuel à travers la décoration.

Collaboratrice au magazine *Coup de Pouce* depuis ses débuts, Lise fait bénéficier les lecteurs de sa collection personnelle de couverts anciens, de verreries, de meubles et de tissus brodés. Toujours à l'affût du petit trésor caché, Lise serpente les braderies avec Marcel, animé du même feu sacré.

Une troisième série de cartes de souhaits, réalisées en collaboration avec Christian Lacroix, est en cours pour être distribuée au Canada, aux États-Unis et en Angleterre.

Et moi, je m'appelle Céline Tremblay. Difficile de parler de soi... Mais, ne me connaissez-vous pas un peu déjà, par l'intermédiaire des textes que vous avez lus, qui me trahissent à chaque ligne que j'écris? Peut-être y retrouvez-vous des airs de famille avec mes chroniques gastronomiques et mes articles parus dans le magazine *Plaisirs de la table* dont j'ai assumé la direction pendant quelques années. À peu de chose près, c'est d'ailleurs la même équipe d'irréductibles passionnés qui a participé à la réalisation de ce projet. Une passion que je vous sens partager.

Mais voilà mon imaginaire qui me fait parler, vous ne m'avez pas encore invitée, histoire de confirmer...

Index

Toutes
les recettes,
à moins d'avis con-
traire,
sont prévues
pour
4 personnes.

A

B

C

D

F

H

M

N

O

P

R

S

T

Table des matières

LES SALSAS, LES SAUCES, MARINADES ET CHUTNEYS

LES SOUPES ET LES SALADES

LA VOLAILLE

LES VIANDES

LES POISSONS ET LES FRUITS DE MER

LES PLATS D'ACCOMPAGNEMENT

LES DESSERTS

LES VINS ET LES BIÈRES

INDEX

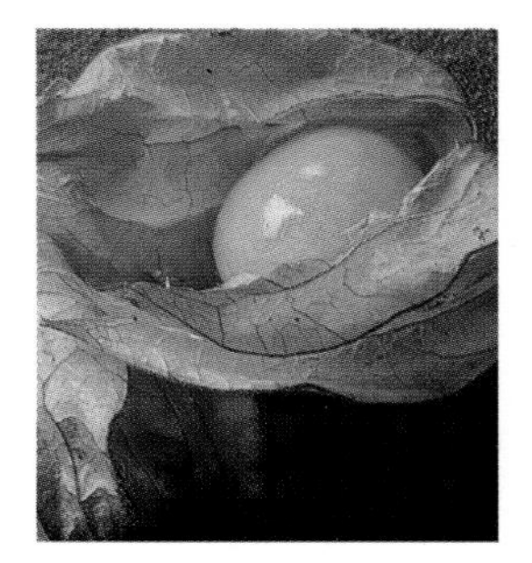